LES BANKSTERS

Marc Roche

LES BANKSTERS

Voyage
chez mes amis capitalistes

Albin Michel

À Paul

« Il suffit que les hommes de bien ne fassent rien pour que le mal triomphe. »

Edmund Burke

Un nouveau monde ?

N'en déplaise aux critiques, je suis un libéral qui a toujours respecté le monde financier et ses opérateurs. Je n'aurais pas, sinon, choisi de couvrir Wall Street et la City depuis le début de ma carrière, en 1979. Je n'ai d'ailleurs jamais caché une sincère empathie d'anthropologue envers la pratique des affaires, la marche des entreprises et la grande, féconde et farouche tribu de la haute finance.

Mais depuis la crise, je suis un libéral qui doute, un déçu du capitalisme, un angoissé de l'avenir. J'ai cherché à comprendre les ressorts et les racines profondes de cette transformation personnelle. Ce carnet de route sans complaisance est un avant tout voyage intérieur. Celui d'un prosélyte du capitalisme en crise de la foi.

Il existe deux sortes de banquiers. En premier lieu, il y a ceux qui essaient de faire leur métier le mieux possible et, malgré quelques erreurs (mais qui n'en commet pas ?), ils n'ont pas grand-chose à se reprocher. Mais à côté d'eux ou à un autre étage du même établissement travaillent les « banksters » qui dénaturent le capitalisme et sont responsables de son impopularité.

La presse anglo-saxonne adore cette contraction des mots anglais *bankers* (banquiers) et *gangsters* pour mettre le doigt sur les dérives de la finance. Même *The Economist*, qui ne passe pas pour le porte-parole des populismes de droite ou de gauche, utilise ce terme pour dénoncer les « aigrefinanciers » sans foi ni loi.

Dick Fuld, l'ex-P-DG de la défunte Lehman Brothers, a dû témoigner devant une commission d'enquête du Sénat américain alors que, dans la salle, des contestataires habillés en tenue rayée de prisonniers brandissaient des pancartes indiquant : « Banksters ». L'image a fait le tour du monde. L'expression, en vogue aux États-Unis lors de la Grande Dépression pour dénoncer les méfaits de la spéculation, a été remise au goût du jour lors de la crise financière des subprimes.

Car tout a changé le 15 septembre 2008.

En tant que journaliste basé d'abord à New York et ensuite à Londres, je pensais bien connaître Lehman Brothers, la célèbre banque d'affaires américaine dotée de tous les atours de la haute finance. Grossière erreur car ce décor glamour cachait en réalité un casino spéculatif planétaire aussi fragile qu'un château de cartes, et cela m'avait totalement échappé. Un casino où les joueurs pouvaient faire sauter la banque à tout moment. J'ignorais que l'institution new-yorkaise franchissait constamment la ligne jaune des risques et de l'éthique.

Lors du séisme qui s'ensuivit – crise financière, krach boursier, récession –, je n'ai cessé de m'interroger : pourquoi n'avais-je rien vu venir ? Le capitalisme avait changé sous mes yeux, mais j'avais ignoré ou j'avais minimisé les dysfonctionnements causés par cette mue : l'explosion des produits financiers toxiques, la révolution technologique ou les indécentes primes de fin d'année.

Dans mes articles publiés avant la crise de 2008, je mettais sur un piédestal les acteurs de la City comme ceux de Wall Street. Je n'étais pas le seul à le faire. Depuis, j'ai cessé de les encenser. J'ai mesuré en effet combien six des sept péchés capitaux bibliques avaient joué un rôle central dans le thriller fascinant et implacable de la crise.

L'orgueil (le sentiment d'impunité et de supériorité), la gourmandise (la cupidité), la luxure (le machisme et la misogynie), l'avarice (l'évasion fiscale), la colère (le refus de la réglementation) et l'envie (la course aux bonus pousse-au-crime) étaient présents à Wall Street comme dans la City... et ils y sont encore. Le seul des vices chers à Thomas d'Aquin qui n'a pas droit de cité dans la finance est la paresse. Il s'agit d'un univers en mouvement perpétuel, sept jours sur sept, vingt-quatre heures sur vingt-quatre.

La crise de Lehman est à l'origine de mes deux livres précédents consacrés à la finance – *La Banque* (2010) et *Le Capitalisme hors la loi* (2011) – dans lesquels je m'étais efforcé de dénoncer deux empires boulimiques et tentaculaires, Goldman Sachs et la finance de l'ombre.

Depuis 2008, les gouvernements, les régulateurs ainsi que les milieux financiers répètent comme un mantra : « Plus jamais cela. » Une nouvelle architecture de la gouvernance mondiale a été introduite. Les autorités disposent désormais de moyens pour débusquer et punir les abus. De l'extérieur du moins. Car sur le fond, très peu de choses ont changé. Nous continuons de voguer sur un volcan qui peut à nouveau entrer en éruption

13

malgré les garde-fous. Nous ne sommes pas au bout de nos peines et de nos peurs. Le constat est clair, net et sans ambiguïté.

Les seigneurs de l'argent n'ont pas tenu leurs promesses. Ils m'ont déçu. Pourquoi la réforme du système financier est-elle si difficile ? Telle est la question centrale de ce livre.

Au cours de mon enquête, j'ai rencontré nombre des grands responsables économiques mondiaux. Au premier abord, ils me sont apparus lucides et soucieux de moraliser la finance. Mais d'interviews en confidences, j'ai découvert la face cachée du système. L'absence de sens des responsabilités au sommet est choquante. Certains grands banquiers ont pris des risques insensés en poursuivant leur intérêt personnel plutôt que celui de leur employeur, sans même parler de celui de la société en général. Bon nombre de banksters sont toujours en place. Et ne manifestent aucun regret. Après tout… ce sont les contribuables qui règlent la facture finale, non ?

Comment les choses se sont-elles vraiment passées ? Comment a-t-on pu en arriver là ? Pourquoi la déréglementation, qui a été une excellente chose dans un premier temps, a-t-elle pu se transformer en un engrenage parfois effrayant ? J'essaie de mettre des visages sur les événements et les erreurs commises.

Des banquiers m'ont entrouvert les portes. Ils ont été motivés par le souci de présenter leur version des faits. Ils étaient conscients que leur interlocuteur, malgré son approche critique, s'est toujours efforcé de ne pas tomber dans la caricature ou le portrait à charge.

Du désordre actuel surgit toutefois une vérité encourageante : un capitalisme mieux réglementé n'a rien d'utopique. Après tout, pour paraphraser Churchill à propos de la démocratie, le capitalisme est le pire des régimes... à l'exception de tous les autres.

PREMIÈRE PARTIE

Aveuglements

1.

Tout était sous mes yeux
mais je n'ai rien vu !

Regarder ne suffit pas, il faut observer. En maître de l'art de résoudre une énigme, Sherlock Holmes donnait ce conseil à son cher ami le Dr Watson, qui ne brillait pas par sa capacité de déduction. Dans ma traque aux dysfonctionnements de la finance, j'aurais dû suivre cette recommandation. Car j'avais tous les éléments de l'intrigue sous les yeux. Même si je n'ai pas été complètement aveugle, je dois confesser que j'ai raté beaucoup de signes annonciateurs de la crise. Je n'ai pas été le seul. Mais ce n'est pas une consolation.

Il ne reste plus qu'à changer de costume, à revêtir une cape de tweed et poser une casquette à deux visières sur la tête afin de remonter le temps, loupe à la main et pipe aux lèvres.

Le 3 septembre 2001, je réalisais le rêve de tout Londonien, autochtone comme expatrié : être propriétaire à part entière et non plus concessionnaire d'un bail emphytéotique pour une durée déterminée de quatre-vingt-dix-neuf ans.

Emballé, je quittais Portobello, la zone bohème de Notting Hill où je résidais depuis 1992 dans un petit appartement, pour une maisonnette nichée dans le quartier BCBG du nouveau Notting Hill, à deux pas de Kensington Gardens. Les aristocratiques hôtels particuliers à façades blanches et les délicieux squares privés ont attiré banquiers d'affaires, directeurs de hedge funds, avocats internationaux tout comme des professionnels dans mon genre dans ce « village » de l'ouest de la capitale. Je suis dans mon élément dans cette oasis cosmopolite, icône planétaire de la romance depuis l'idylle cinématographique entre Hugh Grant et Julia Roberts.

Plus d'un an de recherches assidues avait été nécessaire pour dénicher cette petite maison mitoyenne retapée par un banquier et une designer d'intérieur. Nourris par les bonus étourdissants de la City et par l'afflux de riches étrangers, les prix de l'immobilier dans les beaux quartiers de la capitale étaient alors pris de folie. Le *gazumping* – pratique mafieuse consistant pour le vendeur à revenir sur son accord verbal, en cédant le bien au plus offrant – battait son plein. Heureusement, j'avais sympathisé avec l'agent immobilier qui m'avait prévenu quelques jours avant la date de la mise sur le marché et de la publication de l'annonce. Après une seule visite et un long interrogatoire des propriétaires pour jauger les intentions de l'acheteur potentiel, l'affaire avait été conclue en un tournemain.

Obtenir le financement avait été un jeu d'enfant. Après tout, ma nouvelle résidence était modeste pour le quartier ! Mais surtout les taux d'intérêt étaient au plus bas. L'agent immobilier m'avait conseillé de faire appel à la banque de dépôt britannique Northern Rock, réputée pour sa célérité dans l'octroi de crédits hypothécaires. Au téléphone, une conseillère m'avait proposé un prêt aux conditions alléchantes sur une durée de vingt-cinq ans, sans s'inquiéter du fait que j'avais cinquante ans bien sonnés.

Aucune mise de départ n'avait été exigée. Le prêt couvrait le prix de la maison plus un quart de la totalité de la valeur en vue d'éventuels travaux. La banque avait porté le ratio à six fois le salaire annuel mais sans vérifier ma fiche de paie. Peu importait que les clients soient fiables ou pas ! Les prêteurs étaient engagés dans une course incroyable au chaland. Faire du chiffre, gonfler le bilan, alimenter commissions et primes de fin d'année : tel était le leitmotiv de la direction de cet établissement qui offrait ses crédits à des taux de plus en plus agressifs afin de jouer dans la cour des grands.

À l'époque donc, la Northern Rock m'inspirait particulièrement confiance, il me faut l'avouer. Il s'agissait d'une ancienne structure mutualiste cotée en Bourse qui était devenue le premier mécène privé du royaume. Lors de son introduction en Bourse, elle s'était engagée à verser 5 % de ses bénéfices à la fondation caritative qui avait financé le formidable renouveau culturel de Newcastle, saignée à blanc lors des années thatchériennes, entre 1979 et 1990. L'ancrage régional m'avait également convaincu : ma belle-famille habitait le nord-est de l'Angleterre, ce qui créait un lien supplémentaire.

J'avais aussi été fasciné par la lecture dans le *Financial Times* d'un portrait de l'étrange président, l'honorable Matthew White Ridley. L'aristocrate dilettante écrivait des livres bizarres sur l'art de faire l'amour dans la nature. Il se désintéressait de ce qui se passait dans l'immense siège de brique jaune tapi dans la banlieue chic de Newcastle. Son jeton de présence lui permettait d'entretenir

21

le domaine familial de Blagdon, dans le Northumberland. C'était la preuve à mes yeux que même dans l'Angleterre besogneuse du Nord, l'excentricité demeurait une valeur éternelle et bien vivante.

Mon home sweet home, le château d'un Anglais selon l'expression consacrée. Dans cette nation de petits propriétaires, l'immobilier imprègne la vie sociale. Pas un dîner en ville sans que les convives ne parlent de plus-values, de quartiers qui montent, d'entrepreneurs du bâtiment fiables. Acheter, retaper, vendre : ces trois mots rythment les conversations, aujourd'hui comme hier.

En ces temps-là, il convenait de s'endetter jusqu'au cou grâce à l'argent bon marché pour acheter plusieurs appartements afin de les louer à des prix usuraires aux professionnels du monde entier venus travailler sur les bords de la Tamise. Les empêcheurs de s'enrichir en rond étaient alors rares. Les prix de l'immobilier pouvaient grimper jusqu'au ciel. La trajectoire haussière persistait à l'infini, indépendamment de l'économie réelle. C'était particulièrement le cas de Londres. Dans les années 2000, l'envolée des prix intra-muros était fantastique. Entre 1996 et 2006, l'immobilier résidentiel avait grimpé de 240 % dans la capitale. En 2007, le mètre carré dans le centre-ville était le plus cher au monde, devant Monaco et New York.

Le grand règne du veau d'or célébrait l'argent nouvellement acquis, la démesure, l'individualisme sans entraves prôné par la gauche comme par la droite. Chaque jour dans le courrier, je recevais des offres de prêts plus attirantes les unes que les autres sans exiger la moindre garantie. L'argent n'avait jamais tourné aussi vite. Les distributeurs de billets apparaissaient partout – dans les supermarchés, dans les gares, dans les ministères ou dans les bureaux de poste. Sur les chaînes de la télévision commerciale, les publicités racoleuses pour les placements miracles tenaient le haut du pavé. Un simple employé pouvait obtenir au téléphone une dizaine de cartes de crédit différentes. Matin et soir, l'information financière heureuse se déroulait à la vitesse du ticker, le serpentin des cotations boursières. Une atmosphère de ruée vers l'or, l'éloge permanent de la prise de risque.

Pourtant, l'économie mondiale courait déjà droit à la catastrophe. Des millions d'Américains n'arrivaient plus à rembourser leurs emprunts immobiliers. Malgré de nombreux séjours outre-Atlantique, j'étais aux premières loges mais je ne voyais pas surgir l'iceberg. À ma décharge, le discours dominant rassurait. La crise, quelle crise ? À l'été 2007, Londres se berçait encore de « tendre insouciance », comme le chantait Charles Trenet à propos de la France de l'été 1939.

Le week-end du 15 septembre 2007, j'étais en déplacement à Berlin quand je découvris à la télévision les longues files d'attente de clients faisant le siège des agences de la Northern Rock – ma banque ! – afin de récupérer leurs économies pour les mettre à l'abri. La terrible scène de psychose collective rappelait les images en noir et blanc de paniques bancaires. J'étais dans mes petits souliers. Non seulement c'était mon prêteur immobilier, mais j'avais aussi ouvert un compte d'épargne. Seule la garantie des dépôts décrétée dare-dare par le gouvernement travailliste avait mis fin à la ruée des déposants.

Le 17 février 2008, au bord de la faillite faute d'un repreneur, la Northern Rock était nationalisée. Par la suite, Virgin Money, le groupe financier de Richard Branson, avait racheté une partie des agences.

Depuis le déclenchement de la pire crise des pays développés depuis la guerre, la question ne cesse de me tarauder : certes, j'ai expliqué au jour le jour ce qui se passait, mais au fond il aurait fallu être plus incisif. Je ne cesse de ressasser cette interrogation.

De par mon travail dans la City et en raison de mes nombreuses accointances dans les métiers de la finance, ma vision de l'économie était une version édulcorée, assainie, lisse. Je n'ai rien vu venir alors que j'étais un spécialiste. J'avais des circonstances atténuantes. De formation macroéconomique, je sous-estimais la portée des développements de l'innovation financière et de l'interconnexion des marchés. Comme toute la génération de l'après-guerre, j'étais préoccupé par l'inflation et le chômage, pas par la stabilité financière. Je n'ai pas prêté la moindre attention à l'effet des taux d'intérêt bas sur l'endettement des ménages comme sur les États. J'étais bien sûr en bonne compagnie. Gouvernements, banques centrales, régulateurs ou économistes avaient été aussi aveuglés que moi. Mais il n'empêche, je n'ai pas été plus clairvoyant.

Je croyais que les acteurs économiques agissaient de manière rationnelle dans le cadre d'un fonctionnement sans accroc des marchés. J'étais persuadé que l'outil informatique, porte-drapeau de la révolution technologique, était capable de transformer la nature humaine en algorithmes. La crise m'a démontré que les opérateurs font souvent le contraire, que ce soit par cupidité, comportement moutonnier ou foi aveugle dans la technique. On est conscient aujourd'hui que les marchés ne sont pas infaillibles – loin de là ! –, contrairement à la pensée unique prévalant jusqu'en 2008. De plus, appréhender intellectuellement les changements en profondeur qui se déroulent sous nos yeux n'est jamais aisé.

Les banquiers n'étaient pas en reste. Les P-DG ignoraient tout de ce qui se tramait dans leurs propres salles de marchés. Ils ne se préoccupaient guère de ce qui se passait « là-bas », tant les produits exotiques mis au point par les grosses têtes qu'ils avaient embauchées à prix d'or faisaient tourner la machine à bonus.

Ainsi, le plan choquant de maquillage des comptes grecs concocté par une banquière sans scrupules de Goldman Sachs, Antigone Loudiadis, était-il passé comme une lettre à la poste après un examen rapide par le comité des nouvelles transactions de la filiale londonienne. « On avait la tête dans le guidon. Il y avait tellement d'argent à gagner qu'on est passé vite sur une affaire enfouie parmi des dizaines d'autres. Pas question de laisser passer l'occasion », m'avait confié par la suite un participant à la réunion d'approbation. Charles Prince, P-DG de la banque américaine Citigroup entre 2003 et la fin 2007, avait bien résumé l'état d'esprit au sommet dans une fine allusion au *Titanic* : « Tant qu'il y aura de la musique, il faut danser. »

Marginalisés, les contrôleurs de risques se contentaient de jauger les dangers des placements en se fondant sur les données statistiques passées, la *value at risk* dans le charabia financier. Quant aux autres contre-pouvoirs – administrateurs, actionnaires, créanciers –, ils étaient aux abonnés absents. Au même titre que les avocats, auditeurs, agences de notation ou consultants, ils se contentaient d'engranger commissions et honoraires sans ciller.

Dans ce contexte, les rares Cassandres, à l'instar de Nassim Nicholas Taleb ou de Nouriel Roubini, étaient passées sous silence. Au forum de Davos, en janvier 2007, Roubini avait pourtant sonné l'alarme en prédisant « une crise majeure comme on n'en connaît qu'une fois dans sa vie ». Il affirmait que le double choc immobilier et planétaire partirait des États-Unis avec à la clé la chute de la confiance des consommateurs et au bout du compte la récession. Peine perdue. Dans un article assez méchant, le journaliste star de *Vanity Fair*, Michael Lewis, auteur par la suite du *Big Short*[1] sur les entrailles du crash, avait traité l'imprécateur de « froussard » et d'« imbécile ». J'étais tout à fait d'accord avec Lewis. Ambiance.

Les racines de la crise ? Elles remontent à loin, en fait.

---

1. Traduit en français sous le titre *Le Casse du siècle,* Éd. Sonatine, 2010, et accueilli par une presse plus qu'élogieuse.

2.

Une affaire de famille

C'est l'histoire de Robert et de son frère John. Tous deux se suivent de près au sein des sept enfants de la famille. Dans la fratrie Christensen, la finance est dans le sang. Robert est un banquier respecté, un patricien pilier du secteur off-shore, spécialiste du montage de trusts patrimoniaux qui permettent aux personnes très riches ou aux multinationales de confier des avoirs à la gestion d'un tiers. John est l'un des fondateurs d'un mouvement luttant contre l'opacité du monde financier.

Sur le plan professionnel, ils sont des frères ennemis, une nouvelle version d'Abel et Caïn. Mais à titre personnel, ils ne sont pas brouillés, au contraire. Le lien indéfectible entre les deux protagonistes est fait de complicité et de rivalité, de proximité et de séparation, de rapprochements et de ruptures.

L'enjeu ? Il ne s'agit de rien de moins que de l'avenir de la finance.

Le bras de fer planétaire se joue à Jersey. Cette île, la plus grande de l'archipel anglo-normand, est l'un des fleurons de la couronne de Sa Majesté.

D'origine allemande, marié à une Danoise, le père a fait fortune dans le négoce des meubles de bureau avant de s'installer en 1960 sur cette île de 118 km^2 à une vingtaine de kilomètres des côtes françaises et à 135 kilomètres des côtes britanniques. Les enfants, choyés, connaissent une jeunesse dorée dans un manoir rempli de domestiques. À Jersey, l'existence est à cette époque idyllique, dans un doux climat qui respire le bonheur. Ce territoire fleuri aux routes sinueuses dont on a fait très vite le tour est une destination touristique en vertu de sa proximité avec l'Angleterre et la France. L'économie est fondée sur l'agriculture, en particulier la pomme de terre, les produits laitiers et le tourisme.

Jusqu'à ce que, dans les années soixante, les financiers débarquent dans ce havre de paix. Dès lors, plus rien ne sera comme avant.

En ce matin brumeux à l'aéroport de Gatwick, la file pour l'embarquement du premier vol British Airways à destination de Jersey est interminable. À cette heure, la partie business de l'avion affiche complet alors que la section économique est presque vide. Personne ne feuillette de dossier, par crainte des espions du fisc ou de la concurrence. La liturgie veut que l'on parcoure d'un regard distrait le *Financial Times* ou que l'on pique un petit somme.

À l'approche de l'aéroport, Jersey ressemble à un bocage ordonné, bordé de plages, de criques et de rochers isolés au milieu d'une mer grise. « Il n'y a que trois vrais flux au monde, constatait feu le commandant Cousteau : la mer, l'air et l'argent. » Dès l'arrivée, Jersey sent le paradis fiscal à plein nez. L'aéroport international est surdimensionné pour une population de cent mille âmes. Les visiteurs sont assaillis par les slogans racoleurs des panneaux publicitaires omniprésents : « Protection des avoirs », « Neutralité fiscale » ou « Gestion prudentielle de fortunes ». La majorité des passagers qui voyagent sans bagage en soute se précipitent vers la sortie pour être le premier dans la file de taxis blancs qui les attend.

Une étroite route de campagne serpente au milieu de prairies immenses tachetées de vaches – l'espèce locale est réputée – et ponctuée de villas discrètes. Me voilà en vingt minutes dans la charmante capitale, Saint-Hélier.

J'ai rendez-vous avec les deux frères. S'ils se parlent occasionnellement des problèmes familiaux, il n'est pas question de débattre ensemble de leurs désaccords idéologiques. Même à leurs amis, ils ne se livrent guère sur leurs liens émotionnels. Ce sont des îliens. Des îliens de la Manche, réservés, pudiques, fermés même. Il faudra donc que je les rencontre séparément. Dommage.

Plus rien ne semble devoir arrêter ce conflit entre deux personnalités déterminées qui déchire également les proches de la famille. Les conséquences de ce choc impitoyable sur le plan diplomatique comme sur celui de la gouvernance économique mondiale dépassent de loin les enjeux du confetti, fabuleux sultanat des mille et un trusts.

Saint-Hélier compte les filiales des plus grosses banques, des bureaux de comptables, des cabinets d'avocats et de fonds d'investissement installés dans des maisons de maître ou des immeubles de verre et d'acier de trois à quatre étages. Une poignée d'hôtels

29

de luxe, de restaurants de poisson étoilés, de boutiques à la mode et de concessionnaires de grandes marques d'automobiles témoignent de la présence d'expatriés cossus. Mais ce sanctuaire de l'argent baladeur n'est ni Wall Street ni la City. Les Rolls, les limousines avec chauffeur sont persona non grata. Ici, on fait dans la discrétion tranquille, à l'image des dames aux cheveux blancs qui font les mots croisés du *Times* dans l'un des nombreux salons de thé d'un lieu où il ne se passe rien.

En Angleterre, un affrontement fratricide se réfère inévitablement à la lutte entre roitelets et barons pour le pouvoir. Une caricature pourrait représenter Robert et John Christensen en preux chevaliers à l'allure altière, engagés dans une joute médiévale à l'épée au bas de l'inexpugnable forteresse de Saint-Hélier. Le premier représente l'establishment insulaire des professionnels de l'argent, sérieux et fiers de l'être. Le second se prévaut de la défense de l'intérêt général, des pauvres, des contribuables lésés mais aussi des élites cosmopolites ouvertes sur le monde et la société. L'un, à l'aisance bourgeoise, content de son sort et de son « pays », a passé toute sa vie à Jersey. L'autre, citoyen du monde, est parti vivre en Angleterre. Robert est toujours resté silencieux, parfaitement inconnu au bataillon des VIP de la gestion de patrimoine. John, imprégné de sa mission, a accédé à la notoriété médiatique.

Tout les sépare, sauf l'absence de doutes.

Le taxi s'est garé devant un petit bâtiment qui ne paie pas de mine situé dans une ruelle très bruyante proche du port. La porte d'entrée de la compagnie est hyper-sécurisée. La réceptionniste française me fait poireauter dans un sofa de cuir profond qui me permet d'observer le hall d'accueil où des plaques de cuivre rutilantes déclinent les lointains comptoirs de l'Empire : Bermudes, Bahamas, Caïmans... Le visiteur qui s'attendait à des œuvres d'art, des meubles anciens et des toiles de maîtres est déçu.

Le bureau qu'occupe Robert au rez-de-chaussée est vieillot. La décoration est banale. La bibliothèque est remplie de livres de droit impeccablement reliés pour montrer que la firme est digne de confiance et de sérieux. L'absence de cartons, dossiers et papiers souligne que derrière cette façade de cottage plan-plan, tout est informatisé. Il vaut mieux ne pas se faire remarquer quand on fait fortune dans la fourniture d'infrastructures facilitant l'anonymat. Le secret est une seconde nature. Le silence est d'or.

Structures financières complexes, les trusts gèrent les avoirs d'un particulier pour en reverser les profits à un ou plusieurs de ses bénéficiaires. Robert pratique cette spécialité depuis plus de trente ans. Avec sa poignée de main avenante, sa petite bedaine, son respect des convenances, son intelligence aimablement maquillée en gros bon sens provincial, il rassure la clientèle. « Asseyez-vous, Marc, je suis tellement content de vous revoir », dit-il avec ce doigté très britannique qui consiste à vous parler comme si vous étiez un ami de longue date. Ce partisan de la mondialisation entend me convaincre en usant de deux arguments implacables : la liberté pour les capitaux d'aller et venir et le droit à tirer profit de pratiques fiscales différentes. Avant de préciser que la confidentialité permet de protéger ses ouailles des enlèvements ou de l'intrusion des médias. On lui donnerait presque le Bon Dieu sans confession.

John, lui, n'a ni bureau ni secrétaire. Quand il n'est pas aux quatre coins du globe, le secrétaire général de Tax Justice Network reçoit à Londres dans les cafés Starbucks qui servent de lieu de travail pour ceux qui n'en ont pas. Autant Robert ressemble à l'un de ces gentilshommes exposés à la National Gallery, autant le benjamin s'apparente à un Giacometti de la Tate Modern. Ses yeux bleu azur éclairent le visage décharné de celui qui promène sa vie comme un funambule. Il a peu d'argent et une infrastructure sommaire pour mener son combat.

Le paradoxe de la situation, c'est qu'avant de pourfendre les paradis fiscaux, cet homme calme a été un pilier… de la finance off-shore. L'existence est parfois bien compliquée. Durant la première partie de sa vie professionnelle, John a acquis une vision pessimiste sur la marche de la société. De cette double existence schizophrénique, il a gardé une méfiance instinctive envers les élites, et le refus têtu de l'ordre établi.

S'il entend jouer l'enfant terrible de la famille, c'est sans tomber dans le folklore altermondialiste. Cet économiste du développement veut organiser son mouvement en un groupe de pression durable, à l'image d'Amnesty International. Il est toujours prêt à débattre sur les plateaux de télévision ou à être cité dans la presse dont il a appris le maniement à son profit. S'il est importun, ce n'est pas par goût de la provocation mais parce qu'il est désormais convaincu que l'évasion fiscale porte un réel préjudice à l'économie mondiale.

Les comptoirs d'argent caché comme Jersey réduisent la capacité des États souverains, en particulier les nations du tiers monde dépourvues d'administration digne de ce nom, de lever l'impôt.

Le parcours professionnel – rectiligne pour l'un, en pointillé pour l'autre – a sans doute accentué le contentieux.

Dès sa sortie de l'université en 1981, Robert a été recruté pour monter ces structures patrimoniales. Aujourd'hui encore, il caresse ses montages du même regard amoureux dont il couve la robe d'un vieux bourgogne égayant ses dîners d'affaires. Au départ, sa clientèle était essentiellement composée d'expatriés britanniques. Au fil des ans, elle s'est élargie aux riches d'Europe, du Proche-Orient et d'Asie, aux résidents fortunés de Londres bénéficiant du statut fiscalement avantageux de « non domiciliés » et aux sociétés qui entendent minimiser l'impôt.

Jersey est le royaume des trusts. C'est une structure de préservation du patrimoine permettant à un détenteur de biens comme Volaw Trust de les confier à perpétuité à un tiers, le *trustee*, qui les fait fructifier au profit de ses bénéficiaires en suivant une stratégie de placements convenue par les deux parties. L'objectif n'est pas d'aider les clients à échapper au fisc, promis juré. Reste que plusieurs compagnies off-shore immatriculées dans des paradis fiscaux doivent gérer les différentes composantes du portefeuille – immobilier, yacht, toiles de maîtres, actions ou lingots d'or. Or, en général, ces centres financiers extraterritoriaux ne connaissent pas l'impôt.

D'ailleurs, il n'est pas question de prendre rendez-vous avec Robert Christensen après avoir consulté l'annuaire téléphonique de Jersey. Sa société n'y figure pas. Il faut être présenté par un intermédiaire de renom –, une banque, un conseiller financier ou un bureau comptable. La constitution d'un trust est un travail fastidieux mais hautement rentable quand il s'agit de gros avoirs.

L'affaire est dans le sac. Grâce à cette expertise, l'homme est devenu, au fil des ans, un notable de la gentry locale. Robert siège au conseil d'administration de Jersey Finance, le lobby du secteur, dirige le Channel Island Stock Exchange et fait partie du plus prestigieux golf club. Son habileté en impose au microcosme insulaire. Il connaît tous les réseaux qui gouvernent ce mouchoir de poche où règnent profit et conformisme. Et gare aux dissidents qui menacent la poule aux œufs d'or !

Son frère cadet John en a fait l'amère expérience. Lorsque, en 1986, il rentre à Jersey « pour comprendre les paradis fiscaux de l'intérieur », en jouant, dit-il, le rôle de l'infiltré, l'enfant du pays travaille dans une compagnie de trusts, « en faisant exactement ce que faisait Robert ». À l'époque, l'argent sale affluait en toute impunité dans les coffres de Jersey pour être recyclé dans la City.

Le laxisme des autorités et la cupidité des financiers qui acceptaient, les yeux fermés, les fonds douteux révulsent l'intéressé. Mais son savoir-faire est récompensé par le poste d'économiste en chef du gouvernement de Jersey. Il attendait la voie royale. C'est le parcours du combattant. Ses études sur la nécessité de diversifier l'économie au-delà du secteur financier en plein boom sont enterrées illico par son chef. Cet homme lige du lobby bancaire demande à l'encombrant adjoint – qu'il apprécie pourtant – de se tenir à carreau dans l'intérêt du département.

En 1996 éclate le scandale d'une escroquerie commise par un trader en devises de la filiale d'UBS à Jersey. Pierre Horsfall, qui combine son poste de ministre de l'Économie de l'île anglo-normande et un strapontin au conseil d'administration de la banque suisse, bloque l'enquête. Mais en raison des pressions américaines, il est contraint de laisser faire la justice locale. Sous couvert d'anonymat, John a informé le *Wall Street Journal* de pressions. Pas difficile pour les limiers de la haute finance de Jersey d'identifier la source du reporter. Dans l'île, tout le monde connaît tout le monde. Sus au petit génie de la traîtrise et de l'ingratitude qui a osé briser la loi du silence !

L'impudent fonctionnaire, par qui le scandale est arrivé, est devenu l'ennemi à abattre. Feu à volonté ! À Jersey, si la fonction publique est protégée des pressions politiques, il est facile de contourner l'obstacle en l'absence de syndicats. Le frondeur est harcelé par l'unique quotidien de l'île, le *Jersey Evening News*, proche des milieux d'affaires. Il est mis en quarantaine au sein de l'administration. Les édiles entendent pousser l'insoumis à bout. Le donneur d'alerte croule soudain sous le travail alors que les effectifs de son service sont drastiquement amputés.

Le mouton noir quitte l'île après la naissance de ses deux fils pour mener son combat, à l'échelle internationale cette fois. Horsfall et son chef jubilent. Jersey est non seulement débarrassé du trublion, mais ils ont droit à une belle promotion. L'un à la tête du lobby bancaire, l'autre à la direction du régulateur. Malgré le *Financial Times* qui les accuse d'avoir exilé pour crime de lèse-majesté le « plus éminent dissident » de l'île, les édiles triomphent. Plus pour très longtemps.

Trois ans plus tard, John fonde Tax Justice Network, organisation de lutte contre l'évasion fiscale. C'est sa revanche sur les sarcasmes, les calomnies, les agressions verbales. David peut engager maintenant les hostilités contre Goliath !

Le militantisme de la nouvelle association touche un nerf sensible dans l'île anglo-normande. Le croisé de la transparence remet en question le poids écrasant de la finance dans l'économie locale – la moitié du produit intérieur brut. Le moment est bien choisi. Aux affaires depuis 1997, le gouvernement travailliste de Tony Blair entend remettre à plat les liens séculaires et jusque-là harmonieux entre Jersey et son suzerain anglais. Les attaques visant John redoublent d'intensité. Tout l'arsenal ordinaire est utilisé pour terrasser Tax Justice Network et sa figure emblématique. L'iconoclaste souffre, paraît-il, d'un sentiment amer de frustration pour s'être vu refuser le poste de conseiller principal des États de Jersey. « Il discrédite l'île par esprit de revanche pour ne pas avoir eu le poste faute des compétences nécessaires... » L'accusation m'a été maintes fois répétée.

Sur son frère, Robert Christensen, lui, évite les jugements tranchés. « Si l'un des objectifs de Tax Justice Network était de mettre la pression sur Jersey pour devenir un centre financier transparent et partageux des informations fiscales, ce but est clairement atteint. Le monde entier doit emprunter la même voie. »

Robert a raison. Forcée et contrainte par sa tutelle britannique chargée de ses relations étrangères, par l'OCDE[1] et par le G20[2], Jersey a subi une transformation tardive mais totale. Les députés du Parlement local sont désormais élus et non plus cooptés, les partis politiques ont droit de cité. Les contre-pouvoirs existent. À commencer par le journal local qui, sous la houlette d'un nouveau propriétaire, se montre plus critique envers les agissements de la nomenklatura d'affaires. Le système de contrôle des trusts par le régulateur local, la Jersey Financial Services Commission, a reçu l'approbation du Fonds monétaire international, du Trésor américain ou de l'OCDE venus enquêter sur place.

Par ailleurs, la lutte contre l'évasion fiscale fait depuis peu l'unanimité au sein du G20. L'accord signé en mars 2013 entre le Royaume-Uni et Jersey impose l'obligation aux ressortissants de Sa Majesté disposant d'avoirs dans le territoire de le déclarer au fisc britannique. Les riches étrangers résidents à Londres qui ont placé de l'argent dans les banques de Saint-Hélier doivent faire de même en matière de gains en capitaux et d'intérêts. Derrière bon nombre de mesures, on peut discerner l'influence de John. Plus qu'une réforme, il s'agit d'une révolution, compte tenu des relations incestueuses qui existaient, depuis si longtemps, entre le Royaume-Uni et les îles anglo-normandes.

La guerre contre l'évasion fiscale a, il est vrai, le vent en poupe. En ces temps d'austérité au sein de l'Union

---

1. Organisation de coopération et de développement économique.

2. Organisation regroupant les chefs d'État et de gouvernement des grandes puissances et des pays émergents du globe.

européenne, la haute finance est sur la défensive. Alors qui, de John ou de Robert, a remporté la bataille ? Les apparences vont plutôt en faveur du premier, mais la réalité montre que le second résiste.

3.

Entre intimidation et séduction

Depuis que je les fréquente, le constat est inchangé : les seigneurs de l'argent sont experts dans l'art de brouiller les pistes. L'objectif est d'amener le journaliste financier à les décrire comme ils souhaitent qu'on les voie plutôt que tel que vous les voyez, et même qu'ils se voient eux-mêmes. C'est pourquoi, en dépit des changements intervenus depuis 2008, le métier de chroniqueur de la City demeure un vrai sacerdoce. Entre intimidation et séduction, ma propre expérience témoigne de la difficulté d'écrire sur les professionnels de la haute finance. C'est à la fois un groupe de pression, un réseau d'aide mutuelle et une microsociété très familiale difficile à pénétrer.

Dans la City, le rituel est immuable. Le banquier pénètre dans la salle de réunion. Le cadre est le plus souvent monacal. Les murs blancs accentuent l'atmosphère déjà glaciale. Il tend une poignée de main assurée en se présentant. Il s'assoit en s'excusant de son retard : « Désolé, ma réunion s'est éternisée. » Le responsable de la communication lui dresse un portrait rapide de son interlocuteur[1]. Il évoque les thèmes de

---

1. En l'occurrence, de l'auteur et de son journal, *Le Monde.*

39

l'entretien. Surtout, le faquin de service insiste pour que les citations de l'interviewé lui soient soumises afin d'être approuvées en haut lieu avant publication. C'est la règle de toutes mes interviews afin de permettre à l'intéressé de parler plus librement. Si l'octroi de ce privilège permet à celui avec qui je vais converser de corriger les erreurs ou de préciser sa pensée lourde de conséquences, le ton, l'architecture et la conclusion de l'article restent bien sûr de mon ressort exclusif. Je reste maître de l'interview du début à la fin. Je pousse mon interlocuteur dans ses retranchements sans jamais chercher à le piéger et en respectant ses propos.

La possibilité de pouvoir vérifier leurs citations – ce qui, après tout, est légitime – rassure en général mes interviewés quant à mes intentions. Mes cheveux gris et rares apaisent les inquiétudes. Mon sourire facile et l'allure sérieuse d'un visiteur portant une belle mallette au cuir fatigué les tranquillisent.

Allons-y pour le confessionnal ! L'élite de la City est généralement bien élevée et intelligente. Mais dans cette existence minutée et au moment où les dérives du secteur bancaire font la une de l'actualité, il convient d'être prudent. Et même plus… Le jargon technique est là pour éviter la passion ou la confidence trop rapide.

Les financiers de haut vol acceptent parfois de dire ce qu'ils pensent, mais rarement de dire qui ils sont ou ce qu'ils font vraiment. À Londres, tout financier est une île. Les loisirs ? Ils s'en tiennent tous au trio prudent : « famille, golf, ski ».

C'est pourquoi, il faut savoir juger son interlocuteur à la nanoseconde. Le chroniqueur doit développer sa propre grille de lecture. Et c'est l'étiquette vestimentaire qui en dit long sur le personnage. En pratique, cela veut dire que le costume doit être de préférence bleu foncé. Les chaussures sont obligatoirement noires. Le brun est honni, sauf le week-end. Les Church doivent être bien cirées. La couleur des chaussettes doit prolonger celle du pantalon. La seule touche de fantaisie permise est la cravate et la pochette qui restent un must dans les métiers en contact avec la clientèle. Dans les départements techniques comme l'informatique, la tenue débraillée t-shirt, jeans, basket équivaut à un zéro pointé. Même en été, les chemises à manches courtes ou les polos griffés doivent être portés avec discernement. Ainsi va le protocole de la City, finalement, aussi rigide que celui de la Cour d'Angleterre.

L'heure tourne. L'entretien est terminé. Salutations.

Contrairement à ce qui se passe dans la vie politique, la diplomatie ou la culture, l'accès à l'information économique est très encadré. Les professionnels des banques d'affaires, des hedge funds ou du capital investissement sont entourés de conseillers en communication, chargés de lustrer leur blason et de cacher leurs extravagances. Les avocats veillent également au grain. Les conférences de presse de présentation des résultats, les entretiens en tête-à-tête tout comme les voyages de presse sont soigneusement formatés pour ne pas donner la moindre prise. C'est de bonne guerre, direz-vous, en raison de la vulnérabilité du cours boursier ? Mais là où le bât blesse, c'est quand les journalistes sortent du rang et osent défier la feuille de route. Le retour de manivelle peut être brutal et direct.

Car ces hommes – les femmes apparaissent peu nombreuses mais montent en puissance –, en surface disponibles et attentionnés, peuvent se révéler, quand leur intérêt est en jeu, très manipulateurs. Ils savent alterner le froid et le chaud, l'intimidation et la séduction.

J'ai fait l'expérience de cette redoutable ambiguïté avec une banque américaine aujourd'hui au sommet de sa puissance.

En 2008, en plein krach, je publie un article intitulé « Une vieille rivalité entre banque protestante et banque juive[1] ». Ce texte qui décrivait le rôle de la très puissante banque JPMorgan dans la faillite, trois semaines auparavant, de Lehman Brothers, mettait en exergue l'antisémitisme affiché par la vénérable maison au XIXᵉ siècle et jusqu'à la Seconde Guerre mondiale.

À la fin du XIXᵉ siècle, la maison Morgan, alors le plus grand conglomérat de l'histoire financière mondiale, et ses acolytes protestants bon chic bon genre sont omnipotents. Cet univers huppé mêle grandes familles WASP (White Anglo-Saxon Protestant, c'est-à-dire blanc, anglo-saxon et protestant, le nec plus ultra alors !) de la côte Est des États-Unis et Européens au sang bleu. À l'époque, les établissements juifs sont systématiquement exclus des grands financements industriels.

Plus tard, l'enseigne s'accommodera du régime nazi dans l'espoir que ce soutien discret au Reich et à la politique d'apaisement envers Hitler lui permettra de se faire rembourser l'énorme dette allemande liée aux réparations de la Première Guerre mondiale qu'elle détenait. Après la fondation de l'État d'Israël en 1948, JPMorgan participe au boycottage arabe afin de profiter à bon escient de la manne des pétrodollars. Il faudra

---

1. *Le Monde* du 8 octobre 2008.

attendre 1984 pour qu'un dirigeant juif accède au poste de numéro deux de l'établissement.

Dans l'article incriminé, j'avais bien précisé qu'aujourd'hui seule la compétence importe chez JPMorgan. La finance est un village global, cosmopolite, dont les religions sont désormais exclues. En vain. « Comment osez-vous remuer ces vieilles histoires ? » Du jour au lendemain, pour avoir rappelé un simple fait historique, j'ai été traité comme un pestiféré par une grande maison avec qui, jusque-là, j'entretenais d'excellents rapports professionnels. Six ans plus tard, je suis toujours sur la liste noire de la banque.

Parfois, l'intimidation prend des formes plus drôles.

On connaît David, vainqueur de Goliath. On a gardé un souvenir plus vague de la légende de Daniel apprivoisant le lion dans la fosse. Au cours de sa rencontre, le 17 septembre 1998, avec des banquiers de la City, Jean-François Théodore, alors président de la Bourse de Paris et futur architecte de la fusion, en avril 2007, d'Euronext[1] avec le New York Stock Exchange, a mêlé les deux odyssées bibliques : « Je me sens dans la position de David devant les lions. » Visiblement, l'exercice avait troublé l'orateur au point de lui faire oublier les classiques de l'Ancien Testament. Au risque du ridicule.

À la suite de mon billet narrant dans *Le Monde* sa mésaventure, cet homme généralement affable était

---

1. Le groupe est issu de la fusion, en 2000, des Bourses de Paris, Amsterdam et Bruxelles. Par la suite, il achète le Liffe (marché des produits dérivés basé à Londres) et fusionne avec la Bourse de Lisbonne puis, en 2007, avec le New York Stock Exchange. En novembre 2013, NYSE-Euronext a été racheté par l'américain ICE.

entré dans une colère noire, m'accusant de méchan-
ceté gratuite et de persiflage. En effet, j'avais osé
rapporter de surcroît que « l'énarque s'est permis de
siroter deux verres de vin rouge lors du déjeuner sur
le pouce ». Heureusement basé à Londres, j'échappais
aux griffes de Jean-François Théodore, plus habitué à
la flagornerie qu'à l'ironie. Son principal titre de gloire
– avoir dilué la Bourse de Paris dans un conglomérat
incertain NYSE-Euronext – devrait pourtant l'incliner
à une certaine modestie.

L'establishment français déteste qu'on n'encense
pas les siens. Lorsque j'ai remporté le prix du livre
d'économie 2010 pour un de mes livres[1], la ministre
de l'Économie et des Finances de l'époque, Christine
Lagarde, n'a pas jugé bon de changer une ligne à son
discours préparé de longue date en l'honneur du battu,
Jean-Michel Severino, directeur de l'Agence française
du développement, dépendante… du ministère. Et lors
du déjeuner à Bercy présidé par le gouverneur de la
Banque de France qui suivit la remise du prix, le lau-
réat s'est retrouvé en bout de table, manifestement mis
à l'écart : le prix avait été octroyé au mouton noir !

Tout ceci serait sans importance si la situation économique n'était aussi grave.

Mes démêlés avec Lazard illustrent aussi l'allergie
de ce milieu fermé à toute critique. Dans les années
quatre-vingt-dix, j'avais bien connu cette vénérable institution dont le vétuste siège londonien de Moorgate
était situé au-dessus d'une station de métro. La banque

---

1. *La Banque*, Albin Michel, 2010.

d'affaires s'était toujours refermée comme une huître devant les journalistes. Mais j'y comptais de nombreux amis qui m'invitaient régulièrement à déjeuner pour discuter des mariages d'entreprises ou des conseils aux gouvernements, les deux spécialités maison.

En 2002, il y a le feu à la maison. Le patron, Michel David-Weill, commet alors l'erreur de faire entrer le renard dans le poulailler, en la personne de Bruce Wasserstein, fameux banquier de Wall Street, qu'il dote de tous les pouvoirs. Bruce-la-Terreur sème la zizanie, élimine les uns après les autres mes contacts qui appartenaient à la vieille garde pour placer ses hommes.

Rien ne presse. Je prends tout mon temps pour nouer de nouvelles relations et donner de mes nouvelles à la direction de Lazard. Elles prennent la forme d'un article incisif que j'ai titré : « L'ombre d'un tueur sur la Tamise ». Dans cette chronique[1], je critique ledit Bruce Wasserstein pour avoir piloté avec sa légendaire brutalité l'OPA hostile du géant mondial de l'alimentation Kraft sur le confiseur britannique Cadbury. Je révèle en outre que ce flibustier de la haute finance venait d'épouser une jeune femme qui travaillait comme analyste pour une filiale de Lazard, au mépris du code interne interdisant les aventures sentimentales au bureau. Démon de midi et rustrerie : le milliardaire avait été vu se fourrant des morceaux de gâteau au chocolat dans la poche lors d'un anniversaire d'enfants !

Le 14 octobre à New York, ce grand financier meurt. Un porte-parole de la banque m'accuse implicitement d'avoir précipité la fin du dirigeant, apparemment très affecté par la *Lettre de la City* qui lui avait été consacrée.

---

1. *Le Monde* du 7 octobre 2009.

Sur le moment, j'en avais été très secoué. Avec le recul, j'assume tout.

La séduction ne s'accompagne heureusement pas toujours d'intimidation. David de Rothschild est, il faut bien le dire, un homme charmant. Il a un sourire qui ne le quitte jamais, une gentillesse, une courtoisie et une élégance raffinée. Dans le milieu des grands carnassiers de la haute finance, celui qui était alors le président de la banque londonienne N. M. Rothschild & Sons porte une simple alliance, et non pas la chevalière au petit doigt gauche comme les gens qui revendiquent d'être « bien nés ». Au cours d'un déjeuner en 1999, dans une salle à manger défraîchie du cinquième étage de la banque, la conversation s'était prolongée jusqu'à quinze heures, du jamais vu dans la City où les repas d'affaires ressemblent à un sprint. Sans regarder sa montre, l'hôte avait lancé : « Continuons, je n'ai rien de spécial à faire », avant de me raccompagner jusqu'à la sortie du bâtiment.

David de Rothschild n'avait toutefois pas aimé mon papier, se plaignant à son entourage de « quelques piques malveillantes ». J'y évoquais, il est vrai, le sujet tabou des querelles familiales au sein de la célèbre dynastie financière, question délicate alors qu'il travaillait à réconcilier toutes les branches du clan. Nous nous étions brièvement revus lors du banquet offert par la reine au président Chirac à Windsor, le 18 novembre 2004, pour célébrer le centenaire de l'Entente cordiale. Avec la courtoisie et le doigté d'une longue carrière de cour, il m'avait soigneusement évité. Charmant quand il le juge utile, le personnage a aussi la rancune tenace.

Cela ne l'a pas empêché de m'inviter en 2010 dans son restaurant londonien favori, Wiltons, pour évoquer sa propre succession. Le baron David avait commandé exactement la même chose que son invité et fait mine d'apprécier le mauvais muscadet choisi par ce dernier avec la même délectation qu'un Mouton-Rothschild, l'un des cinq grands crus au sommet de la pyramide des bordeaux. À l'écouter, ses deux remplaçants, un Français et un Anglais, représentaient la combinaison par excellence de la culture binationale au cœur de l'ADN des Rothschild. La marque avait plus de poids si elle conjuguait compétence et naissance. Le bilan de ce faux Candide était impressionnant. En évitant les chausse-trapes de l'expansion dans les produits financiers à risque et en se concentrant sur son métier d'origine, l'activité de conseil, il avait permis à cette banque discrète et élitiste de continuer à briller. Désormais, le patriarche entendait se consacrer à ses passions, le golf, la chasse, les livres d'histoire, et surtout la Fondation pour la mémoire de la Shoah.

À la fin du repas, l'hôte avait réglé l'addition avec une rte de crédit standard. Mais à l'issue du dîner, je n'étais pas parvenu à percer le moindre ressort de sa personnalité. À l'image des fantômes (ou des vampires !), *dear* David ne s'était jamais laissé saisir.

D'autres ténors de la haute finance choisissent un mode de séduction plus original encore. L'ancien patron des activités de marché de la Société Générale, Jean-Pierre Mustier, contraint à la démission en août 2009 à la suite du scandale du trader fou Jérôme Kerviel, a rebondi en prenant la direction des activités d'investissement de la banque italienne Unicredit. Dans un livre et plusieurs articles, j'avais férocement critiqué Mustier – jusque-là jamais rencontré – pour avoir manqué aux principes de la morale en reprenant du service après l'affaire Kerviel. Face à cette Blitzkrieg, il aurait pu suivre l'exemple de tant de ses confrères en poussant des cris d'orfraie en haut lieu pour essayer d'intimider l'insolent plumitif. Il connaissait aussi beaucoup de monde à South Kensington, le quartier français de la capitale britannique, prêt à m'étriper sur le plan professionnel.

Au contraire, plus de deux ans après le scandale, bien réel au demeurant, le banquier français a invité son tourmenteur à déjeuner au siège d'Unicredit Londres. Je m'attendais à l'une de ces confrontations avec un être blessé, se déclarant « meurtri », prêt à en découdre, devant une assiette de saumon fumé. Il n'en fut rien. Mustier a justifié ses nouvelles fonctions par un souci de rédemption. Sa mission, expliquait-il, est de mettre le métier de banquier à l'heure de la transparence et de la bonne gouvernance. Manipulation ou véritable confession ? L'histoire jugera.

La séduction, en tout cas, est tout aussi dangereuse que l'intimidation. C'est pourquoi j'évite d'écrire sur les amis, capitalistes ou pas ! Je ne l'ai fait qu'une seule fois, il y a très longtemps. Encouragé par un financier avec qui j'avais sympathisé, j'avais écrit un papier, ni critique ni excessivement flatteur, sur l'un de ses nouveaux fonds d'investissement. Deux ans plus tard, le placement était à classer au registre des illusions perdues.

Depuis cette mésaventure, je me suis fait la promesse de garder mes distances.

Le métier de chroniqueur financier ne se pratique pas que dans les palais du pouvoir ou les bureaux high-tech peuplés de yuppies distingués bardés de diplômes.

En avril 2000, dans le cadre d'une enquête sur les paradis fiscaux du Pacifique, je me suis ainsi rendu sur l'atoll perdu de Nauru, la plus petite république du monde. Ce confetti situé à mi-distance des îles Marshall et des îles Salomon était considéré comme l'un des maillons faibles de la lutte contre le blanchiment d'argent sale. Plus de quatre cents banques et sociétés off-shore domiciliées dans la capitale, Yaren, auprès d'une seule boîte postale, la Nauru Agency Corporation (NAC), témoignaient de cette douteuse activité. Montage d'une société en moins de quarante-huit heures, formalités administratives minimales et surveillance financière réduite à sa plus simple expression sur les transferts de fonds, coût d'inscription ridiculement bas et secret bancaire total : Nauru était devenue La Mecque des activités illicites des riches Chinois et des oligarques russes.

C'est par le siège d'une baraque en préfabriqué située au milieu d'un paysage puant le phosphate que transitaient donc des dizaines de milliards en provenance de l'empire du Milieu ou de Russie ! Un panneau en bois clair sur lequel apparaissaient les noms des sociétés off-shore trônait dans le salon d'accueil de l'agence. Mais la fine couche de poussière blanche, provenant de la toute proche usine d'extraction d'excréments d'oiseaux marins, rendait les noms en caractères chinois ou cyrilliques illisibles.

En ma présence, le directeur paraphait sans les regarder des dossiers rudimentaires renfermant les demandes de domiciliation de sociétés chinoises que lui tendait une assistante obèse, comme souvent dans cet État de Micronésie. Il avait bien sûr refusé de me livrer la liste des firmes off-shore immatriculées sur ce caillou qui n'avait rien de pittoresque.

Un jeune businessman australien était alors entré sans frapper dans le bureau pour lui remettre deux chèques couvrant les frais d'enregistrement de deux sociétés chinoises. Sans rien vérifier, mon interlocuteur avait fourré chèques et documents dans sa poche. Une société susceptible d'accueillir puis de faire disparaître des bénéfices via une banque correspondante de Hong Kong pouvait voir le jour en cinq minutes par un simple jeu d'écritures.

Au bar de l'hôtel Nemeg tout proche, j'avais retrouvé l'intermédiaire australien à la gueule tannée. Il s'était braqué devant mes questions trop pressantes. Le blanchisseur des antipodes bénéficiait de complicités en haut lieu. À l'aube, deux robustes policiers en manches de chemise, l'air fruste mais décidé, avaient frappé à la porte de ma chambre, un ordre d'expulsion à la main. Je m'imaginais déjà terminer ma carrière au fond d'une mine de phosphate. Il n'en a rien été. Les deux gardiens de la paix m'avaient simplement accompagné à l'aéroport pour me mettre dans l'avion de Melbourne. Plus de peur que de mal.

L'investigation au paradis est une tâche ardue...

4.

Des États infiltrés

Malgré le tour de vis réglementaire intervenu depuis 2008, l'univers financier reste secret. Et puissant. Les hommes politiques sont censés nous protéger contre ce rouleau compresseur. Il n'en est rien à cause de la collusion qui s'est installée entre la politique et la finance.

Tony Blair est l'exemple vivant de ces rapports toxiques. Lors de la finale du 100 mètres des Jeux olympiques de Londres de 2012, j'étais assis juste derrière l'ancien Premier ministre britannique. L'ex-hôte du 10 Downing Street était comme à son habitude bronzé, svelte et souriant. Après la victoire d'Usain Bolt, des spectateurs s'étaient précipités sur Blair pour lui serrer la main, effleurant son costume comme un totem sacré qui porterait chance. Car cet homme étonnant a connu un formidable succès dans le monde des affaires.

L'ancien Premier ministre « pèse » aujourd'hui au moins 150 millions d'euros voire le double. Il symbolise jusqu'à la caricature cette attraction fatale entre finance et politique qui pose d'immenses problèmes d'éthique et de conflits d'intérêts.

Tout a commencé en 2009, deux ans après son départ du 10 Downing Street. L'ex-chef du gouvernement de Sa Majesté fonde un cabinet de conseil intitulé Tony Blair Associates. Une appellation bien vague pour attirer une vaste gamme de clients. Son président fondateur monnaye en réalité son entregent considérable et son carnet d'adresses imposant. Il utilise sa fonction d'émissaire non rémunéré du Quartet pour le Proche-Orient[1] pour faire prospérer son propre business. Il est, entre autres, conseiller international de JPMorgan Chase, de Zurich Insurance Group et de Mubadala. Le plus grand conglomérat bancaire américain, l'une des plus grosses compagnies d'assurances suisse et l'un des principaux fonds d'investissement du riche émirat pétrolier d'Abu Dhabi : on ne peut rêver plus belle carte de visite !

Ce cabinet de conseil pour happy few, peu regardant sur la moralité, a pour clients le Kazakhstan, le Qatar, le Koweït, le Rwanda, la Colombie, entre autres. Il prête main-forte à des autocrates pas très recommandables ou encore aux mystérieux groupes qui contrôlent le marché planétaire des matières premières. Ses bureaux sont installés à Grosvenor Square, au cœur de Mayfair, l'un des quartiers les plus huppés de Londres. À l'instar d'une petite boutique haut de gamme de la finance, la compagnie est équipée d'une salle de marchés à la pointe du progrès, chargée de placer judicieusement les gains réalisés. Ce hedge fund miniature très performant est dirigé par un ancien directeur de la banque d'investissement de la Barclays.

---

1. Regroupant les États-Unis, l'ONU, la Russie et l'Union européenne, ce groupe a une mission de médiation dans le processus de paix israélo-palestinien.

La rémunération d'un ancien Premier ministre de Sa Majesté est une misère pour mener le même train de vie que les amis richissimes que l'on fréquente inévitablement à ce niveau de pouvoir. En quelques années, grâce à sa société de conseil, Blair a été propulsé parmi les grosses fortunes du royaume. L'ancien leader travailliste s'est fait tout naturellement le chantre des banksters de la finance quand ces derniers sont devenus la cible d'une chasse aux sorcières. « La solution à nos problèmes n'est pas de pendre vingt banquiers », a lancé l'architecte de la troisième voie à ceux qui voulaient voir des têtes tomber.

Les honoraires du grand homme, en outre conférencier richement rétribué, sont substantiels. En septembre 2012, l'intéressé a facturé plus d'un million d'euros de commissions pour trois heures de travail de médiation entre le groupe helvétique de négoce Glencore et le Qatar dans un dossier de fusion-acquisition. Dans ses prêches contre l'islam radical, l'ex-Premier ministre n'a bien sûr jamais mentionné le Qatar, l'un de ses plus gros clients, qui pourtant aide indirectement les djihadistes en Syrie et soutient les Frères musulmans.

Dans le monde politique britannique, Tony Blair n'est pas le seul à rejoindre avec armes et bagages le secteur financier. L'ex-numéro deux du gouvernement travailliste de Gordon Brown (2007-2010), lord Mandelson, préside la section internationale de la banque d'affaires Lazard. Cet ancien commissaire européen au commerce siège de surcroît au conseil d'administration de Sistema, le plus gros groupe industriel et financier russe coté en Bourse. Le fondateur et principal actionnaire de ce conglomérat est soupçonné par la justice américaine d'avoir noué des liens avec la mafia russe, ce que l'intéressé dément. Ces allégations ne semblent guère embarrasser le pair du royaume qui conseille parallèlement le sulfureux roi du nickel, le Russe Oleg Deripaska.

C'est la coalition conservatrice-libérale démocrate au pouvoir depuis 2010 au Royaume-Uni qui, contre toute attente, a resserré la vis de la régulation. Présidée par David Cameron, l'équipe de centre-droit est partie en guerre contre les rémunérations excessives des banquiers, la spéculation, ou même, grande nouveauté, l'évasion fiscale. Mais cette approche réglementaire musclée n'a pas empêché le Premier ministre de nommer à son gouvernement plusieurs ex-banquiers au profil identique. Par ailleurs, le responsable de la haute administration britannique est un transfuge de Morgan Stanley. En cela, Cameron, dont le père était agent de change, n'a fait que suivre l'exemple de ses prédécesseurs. Les cabinets de Margaret Thatcher, au pouvoir entre 1979 et 1990, comptaient toujours plusieurs hiérarques de N. M. Rothschild & Sons.

Si elle s'est mise sur le tard à ce qu'il faut bien appeler l'entrisme institutionnel, la finance européenne n'est pas en reste. En France, ex-banquiers, avocats d'affaires ou auditeurs ont également investi l'État. Christine Lagarde a présidé le cabinet juridique Baker & McKenzie avant de devenir ministre de l'Économie et des Finances, puis directrice générale du Fonds monétaire international. La banque Rothschild jouit d'une autorité incontestée des deux côtés de l'éventail politique. Emmanuel Macron est passé de cette institution à l'Élysée dont il a été jusqu'à son départ, en juin 2014, le secrétaire général adjoint, en charge des dossiers économiques. Grégoire Chertok, associé de Rothschild, épaulait Jean-François Copé, l'ex-patron de l'UMP. L'enseigne familiale avait été, en son temps, très proche du président Sarkozy.

Le mouvement inverse, du gouvernement à la finance, est tout aussi problématique. Dominique Strauss-Kahn, ancien directeur français du Fonds monétaire international, est devenu banquier d'affaires au Luxembourg.

Après son éviction du pouvoir en 1997, l'ex-Premier ministre conservateur, John Major, a travaillé à temps plein chez Carlyle, le banquier du complexe militaro-industriel américain. L'ancien chancelier allemand, Gerhard Schröder, est conseiller européen de Rothschild, notamment en charge de la Russie. L'ex-leader des sociaux-démocrates est aussi membre du directoire du groupe pétrolier russe TNK-BP et préside le conseil de surveillance du consortium russo-allemand chargé de la construction et de l'exploitation du gazoduc qui permet à Gazprom d'exporter ses hydrocarbures. Coïncidence ? Il a en tout cas défendu, en avril 2014, l'annexion de la Crimée par ses chers amis du Kremlin. En pleine crise ukrainienne, l'homme d'État a fêté son soixante-dixième anniversaire avec son ami et employeur Vladimir Poutine, à Saint-Pétersbourg. Dix ans plus tôt, Schröder avait qualifié le président russe de « pur démocrate ».

Pour sortir de l'ornière des subprimes ou pour sauver l'euro des défis très complexes qui nécessitent une grande expertise, les dirigeants de l'Union européenne ont, eux aussi, souvent choisi des professionnels de la finance : Peter Sutherland (Goldman Sachs) en Irlande, Antonio Borges (Goldman Sachs) au Portugal, Jean Lemierre (BNP Paribas) en Grèce, ou les sociétés Oliver

Wyman et BlackRock en Espagne. Joli petit monde où on passe d'un côté ou de l'autre de la barrière avec une telle aisance !

Aux États-Unis, la pratique de la *revolving door*, ces allers et retours entre Wall Street et Washington, est certes ancienne. Mais le krach financier de 2008 a mis en exergue ses dangers. Les intérêts des milieux financiers américains ont joué un rôle central dans la crise en faisant des paris de plus en plus gros avec l'appui implicite du gouvernement jusqu'à l'inévitable effondrement. Plus alarmistes, les mêmes financiers utilisent aujourd'hui leur influence pour empêcher précisément le type de réformes dont nous avons besoin.

Dans le même registre, aux États-Unis comme en Europe, on ne compte plus les anciens régulateurs, directeurs du Trésor ou banquiers centraux qui ont été recrutés par des institutions financières pour défendre leurs intérêts face… à leur ancien employeur. C'est une bonne chose, réplique le lobby bancaire à ses détracteurs, car un tel rapport permet aux établissements de mieux connaître ceux qui doivent les maintenir dans le droit chemin. Une façon comme une autre de voir les choses…

Quel intérêt y a-t-il pour les institutions financières à engager à prix d'or des hommes politiques ou hauts fonctionnaires à la retraite ?

Tout d'abord, le prestige. Les banques aiment épingler sur leur rapport annuel une liste d'administrateurs ou de conseillers dotés de titres ronflants, Herr Doktor, docteur honoris causa ou lord du royaume.

Ces « ouvreurs de portes » sont également utilisés pour obtenir des mandats à l'étranger, par exemple en matière de privatisations. En raison de leur connaissance

56

des coulisses, ils savent contourner les réglementations, nationales comme internationales, défavorables à leur industrie, ou garantir un environnement fiscal bienveillant. Les entremetteurs connaissent les arcanes des centres de décision, au sein de l'exécutif comme du législatif, des ministères, comme celles de la Commission européenne ou des organisations internationales. Ils ont l'oreille des décideurs qu'ils peuvent appeler directement dans les moments de crise. Ce sont les apôtres d'un « capitalisme de relations » destiné à capturer les États.

En vue de se tenir au courant, les financiers ont leurs habitudes et leurs lieux favoris de rendez-vous. La grand-messe du capitalisme mondial se célèbre ainsi chaque année dans la station suisse de Davos. L'événement, qui accueille le *Who's Who* de l'entreprise et de la politique, est à cet égard incontournable. Mais Davos est ouvert aux médias, enfin à un petit cercle de journalistes choisis avec le plus grand soin qui bénéficient du même accès que les participants les plus éminents aux débats. Beaucoup de dirigeants préfèrent des cénacles et cercles de réflexion internationaux plus fermés pour entretenir des relations et nouer des contacts au plus haut niveau en toute discrétion.

Située à une trentaine de kilomètres au nord de Londres, entre le sud-est et les Midlands, Watford est une banlieue résidentielle triste comme la capitale en connaît tant. C'est pourtant là, dans un hôtel de luxe au milieu d'une zone pavillonnaire sans charme, que l'instance de Bilderberg a tenu ses assises annuelles en juin 2013, à huis clos comme de coutume. Peu d'événements suscitent autant de mystère et éveillent autant l'imagination qu'une assemblée de cette organisation secrète fondée en 1954.

Aujourd'hui, au nom de la transparence, la liste des participants n'est plus confidentielle. La composition du comité exécutif présidé par Henri de Castries, P-DG d'Axa, est connue. On y retrouve notamment les noms de l'ancien président de la banque centrale européenne, Jean-Claude Trichet, du président de Goldman Sachs International, Peter Sutherland, ou de l'ex-vice-président de la Commission de Bruxelles, le vicomte Davignon.

La sécurité entourant le Grove Hotel, protégé par une haute enceinte en béton construite spécialement pour la réunion, était digne d'une réunion d'un G20 regroupant les chefs d'État et de gouvernement des vingt pays les plus puissants de la planète. La police avait fermé la lourde porte comme s'il s'agissait de cardinaux réunis en conclave dans la chapelle Sixtine. On n'est jamais assez prudent.

Cette année-là, Bilderberg accueillait, outre David Cameron et deux de ses principaux ministres, la directrice du Fonds monétaire international, le président de la Commission européenne, le Premier ministre des Pays-Bas, les responsables des banques centrales suisses et néerlandaises, et une kyrielle de banquiers, industriels ou hommes politiques. Pour que les invités puissent parler librement, il n'y avait pas de service à table mais un buffet qui a toutefois fait mentir la (mauvaise) réputation de la cuisine britannique grâce aux discrets mais généreux sponsors. L'assemblée n'a ni ordre du jour ni résolution. Aucun rapport n'est publié à l'issue des entretiens.

Bilderberg n'a pas l'exclusivité des réunions d'élus et de patrons à l'abri des regards. La société du Mont-Pèlerin, fondée par un banquier du Crédit Suisse dès 1947, se veut le fer de lance intellectuel du libéralisme. On y entre par cooptation, comme dans les clubs de gentlemen exclusifs de Pall Mall. Tout aussi influente mais plus « vieux jeu », la Trilatérale est un forum de réflexion libérale Amérique-Europe-Asie-Pacifique regroupant des acteurs de la vie publique. La Ditchley Foundation réunit une fois par mois une conférence organisée dans un manoir de l'Oxfordshire, en vue, selon son animateur, « d'influencer ceux qui font de la politique ».

Au lendemain de la réunion de Watford, il n'y eut ni rumeurs ni confidences sur les coulisses. La consigne du silence radio a été suivie à la lettre. Les manifestants altermondialistes, les médias ou les curieux n'ont vu que le museau des limousines avec chauffeur. Avec un aplomb considérable, le groupement a demandé et obtenu des autorités britanniques un statut d'association à vocation philanthropique bénéficiant d'exemptions fiscales. Ses membres, qui font serment de confidentialité, ont, paraît-il, l'âme très charitable.

J'ai pu faire entendre ma petite musique à ce sujet le 27 juin 2013, lors d'une audition par la commission d'enquête du Sénat français sur le rôle des banques dans l'évasion fiscale. Les murs du palais du Luxembourg qui narrent l'histoire de l'Hexagone, le cadre grandiose de la salle Médicis, le respect des convenances, la prestation de serment debout devant le rapporteur : « Jurez-vous de dire toute la vérité, rien que la vérité ? »... L'expérience est forte.

Devant cette assemblée de sages notables, j'ai d'abord souligné que, de nos jours, le réseau politique se révèle moins efficace face à des gouvernements et des régulateurs sensibles à l'impopularité des professionnels de la finance tenus pour responsables de la crise. Le carnet d'adresses ne suffit plus sur une planète financière complexe face à une nouvelle génération de décideurs moins impressionnés par le savoir-faire des petits génies de l'argent. Les investisseurs, en particulier les fonds de placement – caisses de retraite, fonds souverains, universités, fondations –, exigent aujourd'hui de respecter l'éthique autant que faire se peut dans les affaires.

Reste que c'est toujours un combat à armes inégales. D'un côté, un lobby bancaire toujours puissant malgré la crise, épaulé par un réseau d'influence politique qui demeure redoutable ; de l'autre, des contre-pouvoirs démunis des moyens financiers ou humains nécessaires à l'accomplissement de leur mission.

À Bruxelles, face aux représentants de l'industrie financière, l'ONG Finance Watch, établie en 2011 et soutenue en partie par la Commission européenne, ne pèse pas lourd. Le budget total des lobbies financiers auprès des institutions européennes est cent fois plus élevé que sa maigre dotation. Il n'est pas étonnant qu'avec de tels moyens, les organisations de défense des intérêts d'un secteur qui a provoqué autant de dégâts aient réussi à influencer l'agenda du Parlement européen comme de la Commission.

Les gouvernements rechignent donc à braver les seigneurs de la finance. Mais après tout, même l'une des plus grandes institutions du journalisme dans le monde ne s'y est pas risquée.

5.

Plein feux sur le *FT*

Je ne prétends pas rivaliser avec Zola. Je n'ai ni le talent ni le génie de celui qui avait publié les noms des militaires qui avaient fait condamner un innocent, Alfred Dreyfus, au bagne. Pourtant, je vais emprunter à l'un de mes héros son célèbre « J'accuse », publié à la une de *L'Aurore* le 13 janvier 1898, pour critiquer une institution qui m'est très chère : le *Financial Times*. J'accuse mon quotidien préféré d'avoir été tout aussi aveugle que les milieux financiers, les régulateurs ou les gouvernements dans la crise des subprimes. J'accuse le *FT* d'ambiguïté et de frilosité envers les banksters. Surtout, j'accuse le titre, dont la couleur saumon est la marque, du crime d'acharnement contre l'euro. Le dossier est consistant. Conflit d'intérêts ? On a le droit de poser la question.

Dès l'aube, ma vie professionnelle est rythmée par cette lecture. Parmi la marée de journaux qui accompagnent mon petit déjeuner, je dévore toujours en premier lieu le grand quotidien britannique des affaires. C'est une cérémonie aussi sacrée que les toasts à la marmelade mangés religieusement. Le premier cahier généraliste est long à parcourir. Mais pas autant que la seconde partie, consacrée à la microéconomie et aux marchés. Je décortique et dissèque soigneusement les articles, éditoriaux et commentaires de cette institution dont le slogan publicitaire proclame en un merveilleux jeu de mots : « *We live in Financial Times* ».

Sur la table de la cuisine, les autres titres éparpillés autour de la théière ventrue et bouillante, couverte d'un petit bonnet pour lui éviter de refroidir, font en comparaison de la figuration. Le *Wall Street Journal* et l'*International New York Times* sont trop américains, le *Guardian* trop à gauche, le *Telegraph* trop à droite et le *Times* trop généraliste. En revanche, je feuillette le tabloïd *The Sun* dont la fille dévêtue de la page trois et les superbes pages foot égayent les matinées électriques des traders. M'étant colleté aux informations du *Financial Times* – et à celles du *Monde* et de la BBC sur le net –, je peux, le cœur léger, gagner mon bureau pour me mettre à l'ouvrage.

Lors des conférences de presse, les journalistes du *FT* posent souvent les questions les plus pertinentes. Les articles sont écrits de manière claire, concise, les informations vérifiées par des enquêtes recoupées. Les analyses, en général percutantes, de ses chroniqueurs font autorité sous toutes les latitudes. Les éditoriaux sont aussi bien agencés qu'une dissertation d'Oxbridge[1]. La Lex Column de dernière page qui commente les résultats et les grandes manœuvres des sociétés influence la stratégie des P-DG. C'est également le vivier des meilleurs journalistes du royaume. On pourrait continuer.

---

1. L'expression couvre les universités d'Oxford et de Cambridge qui sont depuis plus de sept siècles au sommet de l'enseignement supérieur au Royaume-Uni.

Tout en conservant sa spécificité économique, le titre est également réputé pour sa couverture diplomatique et ses rubriques littéraire et artistique. De surcroît, la rédaction peut se targuer d'une centaine de correspondants à temps plein, présents dans une quarantaine de pays.

L'essentiel de la diffusion étant réalisé hors du Royaume-Uni, la rédaction est devenue une véritable tour de Babel. C'est aujourd'hui une organisation d'information mondiale, comme en témoignent les éditions spécifiques à l'Asie et aux États-Unis. Son image plus branchée, sa perspective européenne et l'excellence de l'écriture font un tabac à l'étranger. Autre caractéristique, le refus de tout adoubement politique, ce qui est bienvenu pour un Européen issu du continent (comme disent mes amis anglais).

A priori, le Southwark Bridge, construit en 1921, n'a pas vraiment d'histoire. Lourdaud, dépourvu d'élégance, le pont n'a pas encore la patine inimitable du temps. Et pourtant, ce triste monument à la gloire d'un empire aujourd'hui disparu possède ses lettres de noblesse grâce… au journal. One Southwark Bridge abrite son siège, en bordure de la Tamise, face à la City qui déroule ses atours sur la rive nord. Les couloirs aux murs blancs dégagent une atmosphère clean comme une page blanche, paisible. Les deux plateaux sur lesquels est déployée la rédaction ressemblent à un havre de paix teinté d'austérité dans lequel les journalistes sont sagement assis devant des écrans. Aucune tension n'est perceptible. On a peine à le croire : le *FT* abrite un monde de murmures digne d'une bibliothèque universitaire.

Et ce calme, c'est sa force. C'est le quotidien britannique le plus sérieux, un des rares à ne pas avoir été tenté par le populisme et le nivellement par le bas, une stratégie haut de gamme qui s'est révélée payante. La bible, l'almanach et le baromètre des milieux financiers est à la hauteur de sa réputation. Pour se protéger des perfidies de ses concurrents, ce beau fleuron de la presse internationale peut invoquer le célèbre maxime : « Quand je me regarde, je me désole. Quand je me compare, je me console. »

Mes amis financiers ne jurent que par ce journal dont, il est vrai, ils n'ont pas à se plaindre. Comme les autres titres économiques – *Handelsblatt* et *Frankfurter Allgemeine Zeitung* en Allemagne, *Il Sole 24 Ore* en Italie, *Les Échos* en France, *De Tijd* en Belgique ou le *Wall Street Journal* aux États-Unis –, le *Financial Times* se fait tout naturellement l'écho des préoccupations des chefs d'entreprise, sa clientèle de base. Ses rapports étroits avec les dirigeants de la City, de Wall Street et des places financières émergentes lui confèrent une autorité que les talents de ses journalistes seuls ne justifieraient peut-être pas. Les éditoriaux sont tout naturellement en faveur de la libre entreprise, des bonus ou de l'imposition minimale des sociétés.

Ce tropisme hyper-libéral a d'ailleurs provoqué l'ire de Nicolas Sarkozy lors de la campagne présidentielle de 2012. Le Président français avait peu apprécié les attaques contre ses projets de réglementation bancaire provenant d'un *Financial Times* « qui estime depuis des années que la solution pour le monde, c'est qu'il n'y ait pas de loi. […] Je pense exactement le contraire ». Il avait tort.

Son successeur n'a pas été mieux traité. En novembre 2012, François Hollande annonce des réformes importantes (sur la compétitivité, la maîtrise des dépenses et l'ouverture du marché du travail). Le déficit ne devait pas dépasser 4,5 % du PIB en 2012, la croissance du troisième trimestre était, contre toute attente, positive et les taux d'emprunt de la dette française restaient très faibles. Le *FT* insista pourtant sur « les avertissements à l'économie française de la part des gestionnaires de fonds et des économistes alors que le ratio dette au PIB monte ». Hélas, il était exact que la dette française continuait de monter et que la France, déjà, se déclinait en noir plutôt qu'en rose.

Pourtant, le *Financial Times* n'a-t-il pas perdu la main ?

D'abord, si le quotidien n'est plus rétif au journalisme d'investigation, certains sujets sont escamotés. L'institution se place résolument du côté des milieux financiers. Même si le journal a révélé pléthore d'affaires retentissantes, il rechigne visiblement à traiter en profondeur les sujets qui fâchent. Il a peur de ruiner une réputation d'excellence prudemment bâtie depuis sa fondation, le 13 février 1888, en se précipitant sur une information qui risque de se révéler fausse. Sans doute, mais sa timidité à explorer les coulisses les moins glorieuses des marchés financiers, en particulier depuis la crise de 2008, reste l'une de ses grandes faiblesses.

Résultat, il a tendance à faire du suivisme sur les dossiers les plus brûlants. Les paradis off-shore et l'évasion fiscale, la banque parallèle ou l'argent sale investi en Angleterre par les oligarques venus du froid sont par exemple des dossiers laissés en jachère. Le *FT* a aussi passé sous silence les révélations, en avril 2013, du consortium de journalisme d'investigation américain ICIJ sur les données de l'OffshoreLeaks. Cette enquête internationale[1] avait révélé l'existence de plus de cent vingt mille sociétés opaques dans les paradis fiscaux.

En raison de sa proximité des marchés et de leurs acteurs, le journal n'a pas vu venir la crise. Début 2007, deux des journalistes du *FT* avaient pourtant été les premiers à tirer la sonnette d'alarme sur les crédits subprimes : les avertissements de Gillian Tett, spécialiste de la dette, qui couvrait les marchés des capitaux, et du chroniqueur Martin Wolf, Cassandre des déséquilibres mondiaux, avaient été relégués en pages intérieures en raison de l'aveuglement général, du boom de l'immobilier et de la prééminence à l'époque des articles positifs publiés sur le marché des actions. Le quotidien de référence avait sous-estimé dès le départ l'impact de la tourmente. À l'évidence, l'extrême spécialisation des journalistes maison les a empêchés de relier les différents aspects de la crise entre eux.

Le *Financial Times* est par ailleurs loin d'être lui-même immunisé contre les conflits d'intérêts. L'impressionnante batterie de produits dérivés, lettres confidentielles et conférences sponsorisées peuvent amener le journal à se montrer d'une exquise discrétion sur certaines affaires. C'est ainsi que parmi les sponsors du congrès sur les matières premières organisé par le journal à Lausanne au printemps 2014, figuraient plusieurs grosses firmes de négoce aux affaires souvent troubles sur lesquelles doivent écrire ses journalistes.

Autre exemple, l'un de ses journalistes stars, Martin Wolf, a participé à la commission Vickers chargée de la réforme bancaire dont le rapport avait été présenté

---

1. Une enquête à laquelle *Le Monde* avait été associé.

le 12 septembre 2011. Depuis, le journaliste commente régulièrement l'avancement du chantier sans se fixer un devoir de réserve sur ce sujet. C'est un conflit d'intérêts qui est toutefois au service de l'information, fait remarquer l'intéressé !

Le partenariat, d'abord avec Goldman Sachs puis avec McKinsey, dans l'octroi du prix Business Book of the Year, pose également un problème, même si la banque d'affaires et le bureau conseil, a priori, ne bénéficient d'aucun traitement préférentiel sur le plan journalistique.

Pourtant, quand, en 2003, le journaliste Nick Dunbar avait révélé dans le mensuel britannique *Risk Magazine* le rôle joué par Goldman Sachs dans la présentation orientée des comptes grecs, le *Financial Times* avait passé l'affaire sous silence. Avait-il peur de se mettre le sponsor Goldman à dos ? C'est possible ! En tout cas, l'hebdomadaire allemand *Der Spiegel* avait repris par la suite à son propre compte les informations de Dunbar qui feront ensuite le tour du monde. Le *FT* passe à nouveau ces révélations sous silence.

Mais le plus important à mes yeux reste son attitude face à l'euro. Là, c'est trop. Mon journal préféré alimente la tourmente par des unes provocatrices aussi sanguinolentes qu'un étal de boucher. Si les articles, bien documentés et équilibrés, publiés en pages intérieures étaient en général plus circonspects que les manchettes ou que la production web, les détracteurs de la monnaie unique ont monopolisé les pages éditoriales. Quel vocabulaire le *FT* prendra-t-il quand il y aura de vrais motifs de panique bancaire ? On peut se le demander.

En vérité, durant la crise de la monnaie unique, le *Financial Times* a perdu son légendaire sang-froid. Le journal a milité pour que l'Europe se réforme à la vitesse des marchés de capitaux. Or de telles mutations sont lentes à l'échelle nationale, encore plus lorsque vingt-huit pays décident ! Le processus prend nécessairement des années. Le quotidien n'a jamais pris la mesure des changements de gouvernance introduits dans la zone euro depuis le déclenchement de la crise de la dette des États. Quel a été l'effet de ces manchettes accrocheuses et anxiogènes relevées d'une pincée d'épices de sensationnalisme sur les spéculateurs ? À moins que ce supporter fervent, jadis, de l'adhésion de la livre à l'euro n'entende justifier d'avoir viré sa cuti avec l'enthousiasme des convertis ?

En février 2010, au cours d'une série de sommets européens d'urgence, les États membres de l'union monétaire promettent de prendre des mesures pour préserver la stabilité de l'eurozone tout en prohibant toute assistance à un État en difficulté. Dès le 9 février, sous la manchette : « Les traders font des paris records contre l'euro », le *Financial Times* affirme que « les investisseurs sont en train de perdre confiance dans la capacité de l'euro à résister à la contagion des problèmes budgétaires de la Grèce sur les autres pays membres ».

Le 25 mars, la Grèce est désormais insolvable. Dans une chronique datée du 30 mars, Gideon Rachman se frotte les mains : « Peut-être dois-je ressortir du grenier les vieilles devises européennes qui pourraient être moins obsolètes qu'il n'y paraît ? » Le tabou d'un éventuel plan d'aide vole en éclats. Aux côtés de la Commission européenne et du Fonds monétaire international, les États de l'union monétaire s'engagent sur une enveloppe pour aider les pays en difficulté. L'Irlande, dont le secteur bancaire s'est effondré à son tour, bénéficie d'un prêt.

En mars 2011, c'est au tour du Portugal de tendre la sébile. Martin Wolf évoque, le 11 mai, « le voyage de la zone euro vers la banqueroute ». Quant à Rachman, il récidive le 21 juin : « Il n'y a pas d'identité politique commune assez forte pour soutenir l'euro. »

Tout au long de l'automne 2011, les enjeux de la crise grossissent. La monnaie unique prend l'eau. Les dirigeants européens tentent d'imaginer le futur de la zone euro. Le 24 septembre, le *FT* proclame à la une : « L'économie planétaire est au bord du gouffre. » À l'issue d'une réunion des ministres des Finances du G20, Martin Wolf n'y va pas de main morte : « C'est concevable mais peu probable que la zone euro trouve un moyen de gérer cette urgence », et il évoque « le déni » des dirigeants face à « une maladie chronique ». Le 9 novembre, le même insinue que seule la peur des conséquences d'une rupture de l'euro le maintient en vie. « Cela suffira-t-il ? Je soupçonne que la réponse est non. »

C'est pourtant ce qui s'est passé ! Le 19, dans une analyse, le *FT* met en garde contre « l'abandon par les investisseurs d'une bonne partie de la zone euro ». Le 23, alors que la spéculation se déchaîne, Rachman répond à la chancelière Angela Merkel que les marchés « ne sont pas des monstres » et ironise : « Parmi les comploteurs anglo-saxons désireux de détruire l'euro figure, soit dit en passant, le *Financial Times.* » Toujours le poids des mots.

Quand, lors du Conseil européen du 9 décembre 2011, le nouveau Premier ministre britannique, David Cameron, met son veto au pacte budgétaire en invoquant l'absence de garanties protégeant la City de Londres, l'éditorial du *FT* applaudit. Le chroniqueur politique Philip Stephens, francophile pro-européen, est le seul des columnists à s'opposer au « non » de Londres.

Sans le Royaume-Uni, l'Union européenne finit par s'accorder pour adopter le document sous forme d'un traité international.

L'année 2012 s'ouvre sur de grosses inquiétudes pour l'Italie et l'Espagne. Le 25 janvier, nouvelle attaque violente : le journal évoque « la chute continue de l'euro ». En février-mars, la Grèce est contrainte à nouveau de restructurer sa dette. La Banque centrale européenne, désormais présidée par Mario Draghi, donne un peu de répit à la zone en injectant 1 milliard d'euros de liquidités dans ses banques. Le Conseil européen de Copenhague, le 2 mars, insiste sur les politiques de croissance plutôt que l'austérité. Devant ce développement, Gideon Rachman est formel, « l'euro est une bombe à retardement que personne ne peut désamorcer [...]. L'ensemble du projet est condamné ». Le journal persiste dans l'erreur.

L'élection, en mai, de François Hollande marque une rupture dans les rapports de force entre les différents pays de la zone euro. Le 24 mai, en lever de rideau de son premier sommet au cours duquel le nouvel hôte de l'Élysée affiche clairement son désaccord avec l'Allemagne pour se ranger dans le camp de l'Italie et de l'Espagne, on lit sous la plume dudit Rachman : « Maintenant, il est temps de planifier un divorce de velours pour l'euro. Sous sa forme actuelle, il doit mourir. »

Lors du sommet crucial du 29 juin, il est décidé que la recapitalisation des banques se fera directement par les fonds de secours et non via les États. En échange, l'Allemagne obtient une supervision bancaire européenne sous l'égide de la BCE. Le 14 juillet, le responsable de la rubrique des affaires européennes écrit, sous le titre

« La situation sans issue de l'Europe », que le sauvetage de l'euro est une « folie ».

En septembre, la BCE donne une grande bouffée d'air frais supplémentaire en expliquant être prête à racheter de façon illimitée des obligations sur les marchés afin de faire retomber les taux d'intérêt auxquels empruntent l'Espagne et l'Italie. Les plumes du *FT* se déchaînent : « Le sentiment largement répandu des investisseurs est que la zone euro va se briser » (Lex Column, 7 septembre) ; « La démocratie est perdante dans la bataille de l'euro » (Gideon Rachman, 11 septembre)…

Comment expliquer la virulence de ces attaques ? C'est un fait que les chroniqueurs financiers que j'accuse sont de fervents eurosceptiques, qu'ils écrivent ce qu'ils veulent et que la direction n'a aucun droit de regard sur leur copie. De plus, le succès de l'édition américaine a renforcé l'ancrage aux États-Unis, au détriment de l'Europe. Enfin, l'accent mis sur l'édition numérique et la réduction de la voilure papier n'ont pas manqué d'influencer le contenu éditorial. L'internet est réducteur. L'impact des mots clés est commercialement mesurable. Or le *Financial Times* a été un précurseur dans l'intégration, réalisée dès 2006, des équipes rédactionnelles web et print.

Aujourd'hui, ce journal, peu habitué à être lui-même critiqué, fait part de son « incompréhension totale » devant les accusations de sensationnalisme. Il affirme avoir toujours soutenu l'euro, mais qu'une réforme de la monnaie unique est nécessaire, ce que personne ne conteste plus aujourd'hui. Dans la période particulièrement volatile que nous connaissons, il est difficile de ne pas être anxieux. La bible des affaires insiste : depuis sa fondation, le *FT* est toujours resté fidèle au même triptyque de valeurs : libre concurrence, ouverture des marchés, mais aussi liberté d'opinion, le tout dans un contexte international.

Il n'en demeure pas moins que le journal a mené – et sur quel ton ! – un mauvais combat. De surcroît, en choyant davantage Londres – et ses banques – que les autres Européens, il a permis à l'establishment bancaire de s'en sortir une nouvelle fois.

L'impunité est toujours de saison.

6.

Impunité

La voix est blanche, mais bien posée. Fabrice Tourre ne tremble pas. Seuls les yeux brillants disent l'émotion maîtrisée. L'ancien trader français de Goldman Sachs a perdu son combat, lâché par tous. Le 1er août 2013, le centralien formé dans le moule de la Stanford Business School est reconnu coupable de fraude boursière. L'ancien courtier est jugé responsable d'avoir trompé des investisseurs et d'avoir réalisé des gains illicites lors de la création et de la vente d'un produit financier complexe, bourré de crédits hypothécaires subprimes toxiques. L'intéressé l'avait recommandé à la hausse à ses clients alors que Goldman jouait le produit à la baisse derrière leur dos. Il est condamné à une amende de 910 000 dollars.

Triste fin de course de celui qui, porteur de tant de promesses, est désormais banni à jamais des métiers de la finance.

Fabrice Tourre est le petit soldat qui a payé pour les autres. Le bouc émissaire parfait. La banque d'affaires new-yorkaise avait conclu dès juillet 2011 un accord avec le gendarme des marchés américains, la Securities and Exchange Commission (SEC), l'exonérant de toutes les charges en échange du paiement d'une amende. Sous les projecteurs des médias, ce trader de rang intermédiaire avait été jeté par Goldman dans la fosse aux lions, en l'occurrence les sheriffs de la SEC, chargée de surveiller les marchés. La tutelle de Wall Street était désespérée d'accrocher à son tableau de chasse, faute de proies de première catégorie, des lampistes qui ont payé pour les carences évidentes de leur patron. La SEC, qui connaît son monde et savait que Goldman était intouchable, a préféré signer un accord à l'amiable imposant une amende en échange de l'abandon de toutes les poursuites. Goldman n'a donc pas eu à reconnaître la moindre faute !

Lors de sa déposition, le 27 avril 2010, devant les sénateurs membres de la commission d'enquête américaine – et les chaînes de télévision du monde entier –, le malheureux Français était apparu sur la défensive. Il avait du mal à s'y retrouver devant la liasse de documents préparés par les avocats de son employeur, aussi épaisse que deux annuaires téléphoniques. L'aplomb du fort en thème frisait l'effronterie, comme m'avait expliqué, à l'issue de l'audition, le sénateur Ted Kaufman qui avait été l'un de ses interrogateurs ce jour-là. « Il était du genre : Vous n'avez pas le droit de me poser ces questions et j'en sais plus que vous sur ce dossier. »

Mais, à l'inverse de ses supérieurs, il avait lui-même contribué à sa chute en laissant des traces, des e-mails compromettants échangés avec sa petite amie. « L'édifice entier risque de s'effondrer à tout moment... Seul survivant potentiel, "Fab le Fabuleux" » (le 23 janvier 2007). « Le business des subprimes est complètement mort et les pauvres petits emprunteurs ne vont pas faire de vieux os !!! » (7 mars 2007). « Je viens de vendre des obligations Abacus à des veuves et des orphelins que j'ai croisés dans l'aéroport. Décidément, ces Belges[1] adorent les Abacus » (13 juin 2007).

Goldman Sachs avait délibérément sacrifié ce petit soldat en distribuant ses e-mails aux médias, tout en prenant soin auparavant de les traduire en anglais ! Quand un sénateur lui avait demandé la raison de cette trahison, il avait été incapable de répondre. Son nom avait été traîné dans la boue par l'ensemble de la presse américaine comme un vulgaire escroc.

Goldman Sachs avait payé les honoraires de ses avocats qu'elle avait elle-même choisis, en l'occurrence le cabinet new-yorkais Allen&Overy. La ficelle était grosse mais Tourre, trop sûr de lui et de son étoile, avait rejeté les conseils de proches de prendre son propre avocat. En faisant une confiance aveugle à la juriste rémunérée par son employeur, il avait commis une erreur de jugement. Cette femme d'une cinquantaine d'années à la tête de poisson, carrément antipathique lorsque nous l'avions rencontrée dans le cadre du film *La Banque qui dirige le monde*, avait accepté sans ciller la demande de Goldman que les supérieurs de Fabrice Tourre puissent témoigner contre lui ! Un piège parfait ? Il est vrai que la banque n'est jamais passée pour l'Armée du salut.

Dans cette incroyable histoire, ce jeune homme a été le « pigeon » d'un véritable bestiaire, d'une infernale arche de Noé peuplée de serpents qui étouffent, d'araignées qui tendent leur toile, de pieuvres aux bras

---

1. Le surnom donné aux banques allemandes clientes qui avaient acheté le produit financier Abacus dont s'occupait Fabrice Tourre.

tentaculaires et sans fin, ou encore de charognards prompts à dévorer tout ce qui passe à leur portée. Alors que le monde connaît la plus grave crise financière depuis la Grande Dépression de 1929, les banquiers ont échappé au déluge en toute impunité ou presque. La justice est restée muette devant les corsaires du capitalisme de casino qui truquaient la roulette, les dés et les cartes.

Pourquoi aucun bankster n'a-t-il été condamné pour les abus commis avant et pendant la crise financière ? *Mes amis capitalistes* seraient-ils intouchables ? Échapper à la sanction est à l'évidence un art dans lequel ils sont passés maîtres.

Je n'ai jamais donné, il faut le reconnaître, dans le misérabilisme, mais clairement, en Angleterre, il vaut mieux être bankster que casseur. Lors des émeutes qui avaient secoué Londres au cours de l'été 2011, un étudiant sans casier judiciaire avait été condamné à six mois de prison ferme pour avoir volé une bouteille d'eau minérale dans un supermarché.

Pourtant, les professionnels de la finance du bestiaire infernal se sont surpassés. Ils ont camouflé un sacré paquet de créances pourries et ont affirmé que leur établissement se portait au mieux. Ils ont pris des risques inconsidérés qui avaient conduit au désastre. Ils ont eu recours aux pires astuces comptables pour manipuler le bilan et cacher leurs investissements massifs dans l'immobilier. Ils ont laissé derrière eux un champ de ruines obligeant leurs successeurs à procéder à des licenciements massifs. Pour les victimes, la facture est lourde. Le contribuable a dû se serrer la ceinture. Les États ont été contraints de débourser des sommes abyssales pour sauver… les banques. La morale de l'histoire ? Il n'y en a pas ! C'est dommage, mais c'est ainsi.

S'il est un homme qui en est convaincu, c'est ce résident de la banlieue de Wilmington, la capitale du Delaware, petit État situé entre New York et Washington : Ted Kaufman dégage une impression de puissance tranquille comme il sied à un homme habité par un idéal. Entre 2008 et 2010, il avait été sénateur démocrate comme suppléant de Joe Biden, le vice-président de Barack Obama. Le regard bienveillant sous un sourcil toujours à demi levé, le personnage de haute stature a fait son credo de la punition des responsables des crédits à risque.

Dès son arrivée à la Chambre haute, en janvier 2009, le sénateur par intérim a fait voter une enveloppe spéciale au profit du ministère de la Justice pour mettre les financiers véreux sous les verrous. Devant l'échec de l'entreprise, l'ex-parlementaire démocrate dénonce avec véhémence l'existence d'une justice à deux vitesses, « d'un côté, ceux qui peuvent voler des millions de dollars sans être inquiétés, de l'autre, ceux qui doivent payer pour les crimes qu'ils commettent ». Cette diatribe serait plus convaincante cependant si elle ne venait pas d'un élu du Delaware, véritable paradis fiscal niché au cœur de l'Amérique !

Aux États-Unis, le gendarme de Wall Street a poursuivi les fraudeurs, adeptes du délit d'initié ou de l'escroquerie, mais aucun banquier lié aux subprimes. Le contraste est saisissant avec la crise des caisses d'épargne américaines au début des années quatre-vingt-dix. Dans les scandales Enron, Tyco ou World-Com, les principaux dirigeants ont été condamnés à de lourdes peines de prison, quand bien même leur rôle était indirect. En revanche, depuis le krach, la tromperie, bien que systématique et délibérée, n'a pas fait l'objet d'une seule condamnation. Même Alan Greenspan, l'architecte de la politique de laisser-faire à l'origine du tsunami financier pendant les dix-neuf ans qu'il a passés à la tête de la Réserve fédérale américaine, a reconnu que « bien des aspects de la crise actuelle sont dus à des escroqueries pures et simples ».

En Grande-Bretagne, Fred Goodwin, le mégalomane qui avait coulé la Royal Bank of Scotland par sa course folle au gigantisme, est le seul à avoir été puni, et encore. Le pauvre hère a perdu son titre nobiliaire – terrible disgrâce ! –, ce qui ne l'empêche pas de dormir. La reine se serait même émue auprès de son Premier ministre du sort fait à sir Fred. En revanche, Hector Sants, l'ex-directeur général de la Financial Services Authority (FSA), l'ancien régulateur des marchés, a été anobli à la fin 2012 dans la salle de bal de Buckingham Palace, « pour bons et loyaux services à la finance ». Sir Hector est pourtant considéré comme l'un des grands responsables de la débâcle de la surveillance prudentielle de la City avant la crise. Qu'importe la nationalisation partielle de deux banques et de trois caisses de crédit hypothécaire, le creusement du déficit budgétaire et la pire cure d'austérité qu'ait connue le Royaume-Uni ! Sants, qui a encouragé la désastreuse fusion entre la Royal Bank of Scotland et ABN-Amro, gavée de créances pourries et de mauvais investissements, figure désormais parmi les sujets méritants de la Couronne.

Il est évident qu'à l'inverse de ce qu'affirment les partisans de la théorie du complot, les banquiers ne sont pas tous fautifs, loin de là. Reste que les opérateurs qui ont joué un rôle clé dans la crise de 2008 s'en sont sortis indemnes. L'incompétence, l'avidité ou l'imprudence ne sont pas un crime passible de prison, telle est la raison invoquée officiellement. Franchir la ligne jaune de l'éthique ou plus simplement de la morale est peut-être inqualifiable, inadmissible et pitoyable, mais n'a rien d'illégal. L'illégalité commence avec les malversations délibérées, en particulier la fraude, au détriment de clients.

En outre, sur le plan juridique, la pierre de touche du droit anglo-saxon est la présomption d'innocence. Il faut prouver « au-delà du doute raisonnable » que le geste reproché est un acte délibéré. C'est un jeu d'enfant pour les meilleurs avocats du barreau de New York ou de Londres mobilisés au prix fort que de torpiller le dossier d'accusation en invoquant ce principe.

L'argument de mon petit cercle d'interlocuteurs est bien rodé. Les dirigeants d'entreprise ne pouvant pas tout contrôler, ils ne peuvent être jugés responsables des agissements de leurs collaborateurs. Et puis, ils sont victimes d'une société qui recherche des boucs émissaires et n'admet pas que les hommes au pouvoir puissent se tromper ou que des accidents arrivent. Aussi, les financiers incriminés ont beau jeu de rappeler qu'ils ne sont pas seuls en cause. Ils montrent volontiers du doigt les gouvernements qui ont dopé la croissance mondiale par la dette publique, les taux d'intérêt bas et la déréglementation. Pour leur part, les régulateurs ont laissé faire et les banques centrales n'ont rien vu venir. Et finalement, personne n'a eu de comptes à rendre.

Car les délits financiers sont d'une telle complexité que les magistrats sont souvent incapables d'appréhender la novlangue ésotérique qui les entoure et les protège. Un jury populaire est totalement désarmé devant un univers financier impénétrable où il est question d'acronymes en lettres capitales inventés par des Dr Folamour inquiétants. Les SPV[1], CDO[2] ou CDS[3] sont comme les cavaliers de l'Apocalypse. Ajoutez l'extrême spécialisation des intervenants sûrs d'eux et de leur étoile, et la tâche de la justice est virtuellement impossible. De plus, en tant qu'employés de leur société, les P-DG ne peuvent se voir réclamer le remboursement des dettes sur leur fortune personnelle. Au bout du compte, ce sont les actionnaires et le contribuable qui doivent régler la note.

Autre motif de cette défaillance, les autorités préfèrent généralement la conciliation à l'épreuve de force en poursuivant au civil plutôt qu'au pénal, réservé aux cas les plus graves et avérés. Les régulateurs s'efforcent de trouver un accord à l'amiable avec les banques coupables de malversations. Ces petits arrangements ont quand même le mérite de garnir les caisses de l'État.

Aux États-Unis, ce choix est notamment le résultat du fiasco des poursuites, lancées en juin 2008, contre les responsables de deux hedge funds de la défunte banque d'affaires Bear Stearns, accusés de fraude sur la base de mails supposés compromettants. Le procureur de Brooklyn ayant bâclé son dossier, le duo avait été acquitté. Le jury avait estimé que la correspondance

---

1. Special Purpose Vehicles.
2. Collateralized Debt Obligations.
3. Credit Default Swaps.

reflétait les soubresauts des marchés au moment de la crise et non pas un acte prémédité de conspiration visant à léser les actionnaires. Ce verdict avait gravement décrédibilisé les agences fédérales chargées de la lutte contre la criminalité en col blanc.

La peur des retombées négatives pour l'emploi explique aussi cette immunité de facto. L'absence de poursuites pénales contre des dirigeants des mastodontes britanniques HSBC (blanchiment d'argent) ou Barclays et Royal Bank of Scotland (manipulation du taux interbancaire Libor) a été motivée par la crainte de suppressions d'emplois dans les filiales américaines. La pensée dominante, c'est que les banquiers sont utiles et connaissent leur travail. Donc les banques sont incontournables, les grosses encore plus. En réalité, c'est faux.

Le constat est édifiant : les premiers responsables de la crise n'ont pas seulement survécu, ils ont prospéré partout. Aux États-Unis, les banquiers qui étaient au pouvoir en 2008 ont presque tous rendu leur tablier. Les stars déchues se cachent-elles ? Sont-elles reléguées dans une retraite peu glorieuse ? Loin de là.

À tout seigneur, tout honneur. Quatre mois après la chute de Lehman Brothers, son fossoyeur, Dick Fuld, a créé sa propre société de conseil en fusions-acquisitions. Le pire ? Il a trouvé des clients ! John Thain, le responsable de la déroute de Merrill Lynch, dirige un organisme de prêt destiné aux PME. Charles Prince, ex-boss de Citigroup entre 2003 et 2007, opère dans un prestigieux bureau de conseil en management de Washington. Les cinq anciens dirigeants au sommet

de la défunte Bear Stearns en charge des crédits hypothécaires pourris à l'origine de sa défaillance se sont
tous recyclés depuis... dans le crédit immobilier au sein
des plus prestigieuses institutions de Wall Street. Quelle
impression suscite ce bref tableau ? Un haut-le-cœur,
pas d'autre mot.

En Europe aussi, les financiers de la crise sont rési-
lients. Johnny Cameron, qui avait coulé la Royal Bank of
Scotland, s'est reconverti dans le capital-investissement.
Daniel Bouton, à la tête de la Société Générale lors du
scandale du trader fou Jérôme Kerviel, est consultant
chez Rothschild.

Après son départ en juillet 2012 de la tête de Barclays,
dans la foulée du scandale du Libor, Bob Diamond a créé
son propre fonds d'investissement centré sur l'Afrique.
Peter Wuffli, l'ancien chef d'UBS, est aujourd'hui gestionnaire de patrimoine, tandis que son collaborateur le
plus proche, John Costas, a fondé un bureau de conseil
stratégique. C'est le même homme qui, responsable
d'UBS aux États-Unis, a convaincu le P-DG, Marcel
Ospel, de s'engager à fond dans les subprimes. Cette
activité qui les a rendus tous les deux multimillionnaires
a failli faire disparaître la banque suisse.

Un si petit monde. La finance est une sorte de « club »
informel. S'ils changent souvent d'employeur, les banquiers conservent des liens professionnels et personnels
avec leurs anciens collègues. On se renvoie l'ascenseur
facilement. La plupart des gestionnaires de patrimoine,
des banquiers d'affaires, comme au demeurant des
administrateurs censés les superviser, proviennent du
même vivier, business schools ou grandes écoles. Le
népotisme est de rigueur au sein des hiérarchies comme
des conseils de surveillance.

Certes, depuis la crise, bien des choses ont changé. Le banquier new look et post-crise est arrivé. Sérieux, appliqué, bon organisateur, adepte du consensus, il ne lui manque plus qu'un vitrail et une auréole. Il prend le métro et fait la queue comme tout le monde devant la machine à café. Il roule dans une vieille voiture. Les exemples abondent.

Antony Jenkins, qui a fait toute sa carrière dans la banque de détail, a pris les commandes de Barclays. Il a remplacé le banquier américain Bob Diamond, qui avait dû démissionner en juillet 2012 de la direction générale de la Barclays à la suite du scandale de la manipulation du taux interbancaire Libor. « Je n'ai jamais fait ce métier pour de l'argent. Ce n'était pas mon ambition. Ça m'est tout simplement tombé dessus », avait-il déclaré sans honte. Quel argumentaire ! Diamond a accumulé une fortune colossale. Les grands fauves de la City peuvent – aussi – être ridicules.

Son remplaçant a fait installer des panneaux de verre dans le hall d'accueil du siège de Canary Wharf, proclamant les slogans chers aux fondateurs quakers de l'enseigne à l'aigle bleu, « intégrité », « bonne conduite » et « respect ». À l'évidence, l'ère banque-cocaïne-putes-costumes flamboyants immortalisée dans le film *Le Loup de Wall Street* de Martin Scorsese est sur le déclin. Les ténors ont été remplacés par de simples choristes pour interpréter une partition plus douce. L'adagio l'emporte désormais sur le presto.

Fabrice Tourre, lui, aura bu le calice jusqu'à la lie. En mars 2014, la justice américaine a réduit son amende au final à 825 463 dollars. Il lui est interdit de demander à son ex-employeur de s'en acquitter et de travailler sur les marchés pendant trois ans. « Fabulous Fab » a embrassé une carrière académique. Le seul banquier à avoir été déclaré coupable de la crise financière entend tourner la page Goldman Sachs.

Dans un autre registre, c'est aussi mon cas.

7.

Goldman et moi

Le sentiment d'impunité, la pratique assidue du réseau d'influence et l'infiltration des rouages de l'État, le culte du secret, l'insensibilité au doute et la certitude de ne jamais se tromper que partagent rarement les bienheureux... Voilà l'évolution du capitalisme depuis vingt ans, telle que j'ai pu l'observer, et qui est symbolisée par la fulgurante réussite d'une banque d'affaires américaine désormais mythique : Goldman Sachs. C'est ce qui explique l'intérêt que je lui porte. J'ai en effet consacré au sujet des articles, des heures d'interviews, de multiples conférences et un film. De fait, j'entretiens une sorte de relation amour-haine avec cette puissance du capitalisme qui est l'un des rouages de la mondialisation et qui fait peur aux gouvernements. J'oscille au gré de l'actualité entre séduction et... répulsion.

Si cette puissante maison s'en est bien tirée dans les affaires auxquelles elle a été mêlée, elle n'a pas échappé à mes rets. Diffusé le 4 septembre 2012 en France en prime time, le film *Goldman Sachs, la banque qui dirige le monde* a battu tous les records d'audience de la chaîne Arte. Basé sur mon best-seller[1], le long métrage réalisé par Jérôme Fritel en étroite collaboration avec l'auteur a fait un tabac dans le monde entier. Très critique de l'institution new-yorkaise, le documentaire a été primé dans les plus grands festivals et continue de l'être.

Rien n'illustre mieux ce rôle central dans le système de Goldman Sachs que le tournage de l'interview de l'ancien président de la Banque centrale européenne – la fameuse BCE de Francfort –, Jean-Claude Trichet.

L'ex-gardien de l'euro est un homme séduisant aux goûts éclectiques, poète à ses heures. L'ancien haut fonctionnaire est courageux puisqu'il est le seul dirigeant du monde bancaire international à avoir accepté de nous recevoir. Début 2012, alors que la crise de la monnaie unique fait fureur, les banquiers sont muets. Les seigneurs de l'argent ont pris la clé des champs sous de multiples prétextes. Trichet, lui, a répondu favorablement à notre mail qui précise bien que le sujet de l'interview est Goldman Sachs et son réseau d'influence. Il vient de quitter la BCE et maîtrise à la perfection, en apparence du moins, l'outil médiatique. Son accord est de bon augure.

Sous les lambris dorés d'une annexe de la Banque de France qui donne sur les jardins du Palais-Royal, l'ancien gouverneur se montre d'abord avenant, sympathique, chaleureux. Puis, brutalement, il nous dit d'une voix forte qui refuse toute contradiction : « Je ne dirai pas un mot sur Goldman Sachs. » Nous sommes tous abasourdis. Le réalisateur peut difficilement tout arrêter et gâcher une journée de tournage. Perdu pour perdu, il

---

1. *La Banque. Comment Goldman Sachs dirige le monde, op. cit.*

décide de filmer dans l'espoir d'extraire quelque chose de cette rencontre.

Pendant trois quarts d'heure, Jean-Claude Trichet pérore sur la crise de l'euro. Je le laisse parler sans jamais l'interrompre. Je déteste agresser mes interlocuteurs mais, lassé par ce laïus interminable de professeur, je lui pose brutalement une question. La question qui fâche sur le passage de Mario Draghi, son successeur à la tête de la Banque centrale européenne, chez Goldman Sachs International entre 2002 et 2005.

« La présence de Draghi chez Goldman ne pose-t-elle pas un problème d'éthique ?

– Stop, je réfléchis. Je ne m'attendais pas du tout à cette question. Je préférerais que vous ne me la posiez pas du tout, pas de question sur Draghi. Pas un mot sur Draghi. »

Nous sommes sidérés. Il nous ordonne de faire comme si la question n'avait jamais été posée en faisant mine de se lever. Le ton est soudain cassant, le regard se fait perçant. Une colère froide se lit dans ses yeux plissés. Il se braque, se recroqueville et élève la voix.

Comment expliquer cette soudaine reculade ? Et pourquoi n'a-t-il plus voulu parler de Goldman Sachs après nous avoir donné son accord par écrit ?

À Francfort, une armée de communicants protégeait le président de l'institut d'émission européen. Les interviews données au compte-gouttes étaient soigneusement relues par l'intéressé avant publication. Les rares entretiens télévisés étaient bien cadrés et il était hors de question de sortir des clous. À la retraite, Trichet ne dispose plus de ce filet de sécurité. Même si la République, généreuse en matière de cumul des privilèges, a mis à la disposition de l'ancien gouverneur de la Banque de France un bureau, une secrétaire, ainsi qu'une voiture avec chauffeur, il est seul dans un palais désert. Visiblement, lors de notre rencontre, cet homme de pouvoir que ses pairs plaçaient sur un piédestal n'était pas encore descendu des collines sacrées de l'Olympe. Là-haut où il n'est point de trublion pour lui chicaner ses lauriers. Là-haut où l'on n'a de comptes à rendre à personne.

Il y a aussi son ami Mario Draghi, le successeur qu'il a adoubé. Avec la crise de l'euro, ce dernier traîne le boulet d'avoir été associé-gérant pendant trois ans chez Goldman Sachs. Parmi ses fonctions, il vendait à d'autres pays européens le produit financier maison qui avait aidé la Grèce à tricher. La solidarité de corps a sans doute incité Trichet à faire marche arrière. Ce dernier a en commun avec le patron de la BCE d'être intelligent, travailleur, discret, et maître de ses émotions.

Sans oublier qu'au moment de notre rencontre, l'ex-haut fonctionnaire est à la recherche de strapontins dans des conseils d'administration de grandes sociétés internationales, ce qui l'incite à la prudence. Goldman a les bras longs.

Lors du montage, nous décidons de garder le passage. Que Trichet n'ait pas voulu répondre à la question est une chose. Mais ce qu'il nous demandait, c'était carrément de censurer le documentaire. Toutefois, nous ajoutons un autre extrait de son témoignage sur le ressentiment de la population à l'égard des financiers. Il faut humaniser un peu le personnage. Il en a grand besoin.

Trichet est sorti de notre interview tout autant abîmé que l'avait été Glenn Hubbard, le doyen de la Columbia Business School, bredouillant et refusant de répondre aux questions du réalisateur Charles Ferguson dans le documentaire *Inside Job*. Il était question là de juteux contrats de consulting pour des institutions de Wall Street.

Après la publication de mon livre à l'automne 2010, j'avais pourtant décidé de tourner la page. Les banques rivales avaient à leur tour été éclaboussées par des scandales. Internet fourmillait de thèses présentant la finance comme une « main noire » qui dirige le monde. Je ne voulais pas alimenter le délire. J'avais gardé un très mauvais souvenir des dérapages anti-sémites de nombreux journalistes lors du lancement de l'édition grecque de mon livre. Goldman Sachs, fondée en 1869 par un instituteur juif bavarois émi-gré aux États-Unis, n'est plus vraiment une banque juive. Mais dans une opinion échauffée par la crise, les fantasmes ont la vie dure. Par ailleurs, mes rela-tions avec Goldman – qui m'avait à moitié ouvert ses portes lors de mon enquête pour le livre – s'étaient normalisées.

C'est pourquoi j'avais refusé, dans un premier temps, la proposition de Jérôme Fritel de faire un documentaire très grand public basé sur mon ouvrage.

Je ne pensais pas que ce projet d'une immersion au cœur d'une telle institution avait des chances d'abou-tir. En effet, dans l'univers secret de la haute finance, ceux qui parlent ne savent pas et ceux qui savent ne parlent pas. Déjà avares de confidences face à un bloc-notes et un stylo, les banquiers refusent presque systématiquement de se confronter à un micro ou une caméra. Parler à visage découvert de Goldman Sachs alors que vous travaillez dans la finance ne peut que vous causer des problèmes.

Mais l'aggravation de la crise de l'euro, les révélations sur le rôle de la banque dans la fabrication des comptes grecs, la descente aux enfers de l'Europe du Sud, la nomination d'anciens goldmaniens au sommet de la haute fonction publique des deux côtés de l'Atlantique m'ont fait changer d'avis. Il y avait urgence à expliquer les rouages de l'affaire à un large public dans un documentaire à la fois accessible et séduisant.

J'accepte le défi. Le chef-opérateur Jean-Luc Bréchat et un éclairagiste venu du cinéma, Aurélien Gerbault, complètent la *dream team*.

Jérôme Fritel s'attelle à la tâche de trouver des interlocuteurs qui connaissent Goldman de l'intérieur et acceptent de parler à visage découvert. Comme je l'avais prévu, cette quête se révèle un vrai supplice de Sisyphe, un labeur épuisant, ingrat, toujours à recommencer tant les refus se suivent et se ressemblent. Il lui faut chercher les témoins avec les dents : « C'était comme si nous avions travaillé sur la mafia et qu'il nous ait fallu trouver des repentis. Sauf que Goldman n'est pas la mafia. C'est une boîte cotée en Bourse. »

Le tournage commence en novembre 2011 sur mon territoire, Londres. Les premières interviews sont décevantes. Personne ne veut vraiment parler par peur de porter préjudice à la réputation de la City, la locomotive de l'économie britannique.

Le journaliste Nick Dunbar nous sauve la mise. C'est lui qui, en 2003, avait sorti le scoop sur les secrets de la comptabilité publique grecque pour cacher l'ampleur de l'endettement d'Athènes. L'opération avait rapporté une commission astronomique de 600 millions d'euros à la banque. En fait, la transaction était simple. Je me rends dans un bureau de change dont le responsable me propose une bonne affaire : au lieu de me donner un dollar pour un euro, il m'en donne deux. C'est a priori impossible. Sauf que le changeur me fait un prêt secret sur un morceau de papier à part que je devrai rembourser. Mais officiellement, il est écrit que je recevrai deux dollars par euro. C'est ce qu'a fait Goldman pour réduire la dette grecque de trois milliards d'euros en prêtant à un taux d'intérêt plus élevé que celui du marché sans prendre aucun risque. Déjà au bord de la faillite, la Grèce va boire le calice jusqu'à la lie en raison de l'envolée des taux d'intérêt et du doublement de l'addition.

Goldman Sachs et les autorités grecques avaient tué les révélations de Dunbar dans l'œuf en arguant qu'il ne s'agissait que d'une simple opération de gestion de la dette publique tout à fait légale. Surtout, ils affirmaient qu'Eurostat, l'organisme chargé de surveiller la comptabilité des États de la zone euro, avait été prévenu de l'affaire, ce qui n'avait pas été le cas[1]. Convaincus par ce double mensonge, les médias, BBC et *Financial Times* en tête, avaient alors enterré l'affaire.

Nick Dunbar en avait été profondément blessé. C'est probablement la raison pour laquelle il a accepté notre proposition. Son témoignage clair et limpide se termine par cette citation superbe qui clôt le film : « Cela me fait penser à certains animaux dominants, comme le

---

1. Interview du baron Vanden Abeele, ancien directeur d'Eurostat, affirmant que l'Union européenne ignorait tout de ce tour de passe-passe.

requin, le rat, la guêpe. Ils sont à la fois effrayants et exceptionnels. Ils ont survécu aux météorites, aux extinctions massives, et ils survivront probablement à l'être humain. Je me demande si Goldman n'est pas l'un de ces animaux. »

Après la City, direction les États-Unis. L'équipe est rodée. L'enquête progresse à grands pas. Les intervenants, professionnels, ponctuels, sont excellents. Le film prend corps.

Entre deux interviews à New York, je déjeune avec le directeur de la communication de Goldman, Lucas Van Praag, une vieille connaissance, pour tenter d'obtenir une apparition dans le film du P-DG Lloyd Blankfein. Nos rapports ont toujours été courtois. Il se fâche quand j'écris des articles trop déplaisants, mais ces petits accrochages entretiennent l'amitié. Le grand échalas est anglais et non pas hollandais ou sud-africain comme son nom pourrait le laisser penser. Aucun doute là-dessus : de l'Anglais il a la finesse, la distance, l'humour en demi-teinte mais aussi une bonne dose de perfidie. Il fait partie du club très sélect des associés de la banque.

J'explique à Lucas que la nature a horreur du vide. La grève de la parole des ténors de la haute finance s'est retournée contre eux. Les critiques les plus véhéments de la profession dominent l'agenda. Ils ont enrôlé des banquiers dévorés de remords qui décrivent Wall Street peuplé de comploteurs cultivant les plus noirs desseins. L'objectif n'est pas de piéger Blankfein mais de lui offrir une tribune pour défendre ses couleurs. S'il n'aura aucun droit de regard sur le film, les questions lui seront soumises à l'avance.

Hélas, trois fois hélas, Goldman refusera de collaborer.

En février 2012, nous filmons en Grèce. Nous voilà face à un imprévu. Mon livre y a fait un tabac. L'extrême gauche et l'extrême droite ont récupéré le succès. Loukás Papademos, qui vient d'être nommé Premier ministre, a été gouverneur de la Banque centrale hellénique entre 1994 et 2002. À ce titre, il a participé à l'opération des comptes publics perpétrée avec l'assistance de Goldman. Le gestionnaire de la dette grecque, un certain Petros Christodoulos, est un ex-trader de la firme. Les autorités du pays refusent de nous voir. Ma présence devient un obstacle. Je fais profil bas.

Le voyage en Grèce coïncide avec une nouvelle détérioration de mes relations avec la maison. Dans une série d'articles du *Monde*, j'ai sévèrement critiqué l'avènement d'un « gouvernement Goldman » en Europe : Draghi à Francfort, Papademos à Athènes, Monti à Rome, à la présidence du Conseil italien, António Borges responsable des privatisations à Lisbonne... Le buzz sur internet est énorme.

Cette fois, Goldman Sachs ne se contente pas de me claquer la porte au nez. L'enseigne passe à l'offensive. Au cours d'un déjeuner à Paris avec des chroniqueurs financiers, un associé français décrit Mario Monti, attaqué dans mes papiers pour avoir masqué ses connexions avec l'établissement, comme un « athlète complet, à la fois droit, honnête et drôle ». Mario Draghi ? « Un homme supérieurement intelligent. » La Grèce ? L'action qui a permis de ramener la dette publique de 105 % à 103 % du produit intérieur brut aurait été « marginale » (alors que le maximum autorisé par les critères de Maastricht est de 60 %). JPMorgan a fait de même, dit-on à voix basse, avec l'Italie, sans provoquer la moindre controverse.

L'associé de la banque passe bien sûr sous silence le montant colossal de la commission. Et surtout la visite à Athènes, en octobre 2009, du numéro deux de la banque, Gary Cohn, flanqué du spéculateur John Paulson au cours de laquelle le duo propose au nouveau Premier ministre, Georges Papandréou, de répéter l'opération de camouflage. L'offre n'avait heureusement pas abouti. L'opération était parfaitement légale mais au mépris de l'éthique la plus élémentaire.

Par la suite, la banque distribue une interview donnée au quotidien *Vilma* par l'ancien Premier ministre grec, Costas Simítis, dans laquelle ce dernier m'accuse nommément de « déformer les événements de manière vulgaire ». Le message est clair : je suis censé être un démagogue, obsédé par la banque, qui « raconte n'importe quoi » comme tout journaliste en mal de copie.

Occupé par le montage du film, face à ces attaques, j'applique à la lettre le fameux diction de Disraeli, le Premier ministre britannique favori de la reine Victoria, au XIXe siècle : *Never complain, never explain* (Ne jamais se plaindre, ne jamais s'expliquer). Il ne faut surtout pas mettre de l'huile sur le feu et faire d'un tel différend une question personnelle.

Au même moment, afin de renouveler ses cadres et de faire oublier son rôle dans la crise financière, Goldman prie un certain nombre d'associés-gérants de rendre leur tablier en toute discrétion, comme le veut la tradition. L'appel d'air ainsi créé permet d'éviter la fossilisation. Après avoir trimé dur, les partants pourront réaliser leurs ambitions personnelles.

Parmi les départs figure le Français Yoël Zaoui, l'une des stars des fusions-acquisitions de la maison. Dans un long article âpre consacré à Goldman et intitulé « Enquête sur une société secrète[1] », je décris l'intéressé comme un « petit prince tombé de son piédestal… rétrogradé puis privé de son strapontin ». L'affirmation se fonde sur plusieurs témoignages d'anciens collègues.

La banque se contente d'un droit de réponse très nuancé réfutant les critiques la concernant directement. Mais Yoël Zaoui, lui, remue ciel et terre pour obtenir une confrontation avec moi, ainsi que les excuses du *Monde* publiées à la une de la publication. Il réclame tout simplement la fin de tout droit à la critique de sa personne.

Dans le bureau du directeur du *Monde* à Paris, l'ancien associé crie, vocifère, grimace, lève les bras au ciel. Zaoui exhibe les portraits laudatifs publiés par le *Financial Times* et le *Wall Street Journal*. Or le *FT* parraine alors, au côté de Goldman Sachs, le prix du meilleur livre d'économie en anglais, et le *WSJ* appartient à Rupert Murdoch dont Goldman est l'une des principales sources de financement. Autant pour l'impartialité.

Le milliardaire m'accuse de vouloir m'enrichir sur le dos de Goldman, c'est le comble de la part d'un banquier très fortuné. Il me reproche aussi de cautionner les théories de la conspiration, alors que ce sont les agissements immoraux de Goldman qui excitent tous les dingues de la planète. D'où vient l'exaspération de l'opinion sur les dérives de la finance et les bonus mirobolants en temps de disette et d'austérité ? Cerise sur le gâteau, il recourt au pathos – « *Ma vieille mère a*

---

1. *Le Monde* du 12 mai 2012.

dû lire cela » – et redouble ses menaces – « J'ai des amis très puissants, vous savez ». Il est reparti bredouille.

Par la suite, j'ai compris l'objet de son indignation. Lors de la sortie du texte, il préparait le lancement, avec son frère Michael, d'une petite banque de conseil, Zaoui Capital, basée à Londres. J'ai, à mon corps défendant, un peu gâché la fête, ignorant tout de ce projet. Rien de grave : aux dernières nouvelles, leur petite entreprise se porte au mieux.

8.

La culture bancaire n'a pas changé

Rien n'illustre mieux l'âge d'or de la planète finance, du début des années quatre-vingt-dix à la crise de 2008, que la statue en bronze élevée en l'honneur du trader inconnu et nichée en plein cœur de la City. L'œuvre d'art du genre indéboulonnable représente un jeune homme échevelé, cravate dénouée, veste à rayures chiffonnée, carnet dans la poche et téléphone portable à l'oreille. Le personnage grisé au sourire narquois qui trône à l'entrée du marché à terme Liffe symbolise l'époque de l'argent vite gagné.

Aujourd'hui, cette ode délirante à l'ère de la spéculation endiablée devrait être rangée au magasin des accessoires périmés. « La triste mère d'un empire mort », comme disait Byron de l'Italie. Chaque fois que je passe devant cet ouvrage, je suis étonné qu'il n'ait pas terminé le nez dans la poussière aussi sûrement que la statue de Saddam Hussein à Bagdad en 2003.

Le vent a tourné et la réalité est apparemment dure, très dure pour les traders. En effet, la réglementation limitant l'utilisation des propres capitaux d'une banque pour spéculer a rogné leurs ailes. Les produits financiers complexes et ultrasophistiqués sortis du cerveau des génies des mathématiques ou de la physique quantique qui ont fait leur richesse n'ont plus l'attrait d'autrefois. Dans les salles de marchés, le contrôle des risques a fini par s'améliorer. Pourtant, le trader résiste aussi difficilement à un coup que le requin à l'appel du sang !

L'automatisation d'une grande partie des transactions diminue aussi son rôle. Des algorithmes permettent désormais de découvrir les moindres anomalies des marchés. Les ordinateurs passent les ordres de vente et d'achat en moins d'une seconde, indépendamment du facteur humain.

Et voilà que, de surcroît, la City impose désormais aux opérateurs des salles de marchés de réussir un test d'éthique avant de pouvoir s'inscrire à l'examen officiel d'accès à la profession. Que faire d'un client qui veut deux billets pour assister à la finale de la Coupe d'Angleterre, menaçant, en cas de refus, de changer de fournisseur ? Faut-il dénoncer un trader junior qui imite la signature d'un supérieur pour sauver une transaction sur le point d'échouer ? Quel sort réserver à un collègue talentueux mais qui a menti sur son CV ? Les questions posées aux candidats en vue de jauger leurs valeurs morales doivent éviter de transformer des compromis en compromissions.

En outre, depuis la crise, une mauvaise réputation s'accroche aux basques de ces jeunes gens et pèse sur leur moral. Leur métier de banquier est sans cesse mis en cause par le monde politique et les médias. Les financiers languissent à la dernière place du hit-parade de popularité, loin derrière les journalistes. C'est tout dire... Pourtant, si le trader est déprimé, il n'est pas mort, loin de là. Et les centres de la finance mondiale ne ressemblent pas à un cortège funèbre, au contraire.

Car la culture bancaire prompte aux dérives n'a changé qu'en surface. À Canary Wharf, l'annexe de la City, le Café Brera, point d'ancrage des *golden boys*, est bondé à toute heure. Ce n'est pas un express ou un *latte* qui délie les langues, mais la certitude de son propre destin... et le sentiment d'impunité qui persiste.

Tom Hayes était un habitué de ce café. Le jeune homme n'avait rien du trader caustique et extraverti. Au contraire, c'était un garçon cérébral, solitaire et taiseux. Pourtant, le professionnel couleur muraille est l'un des instigateurs d'un immense scandale resté en fait assez méconnu : celui de la manipulation du taux interbancaire londonien dit Libor[1]. L'ancien opérateur d'UBS a été le pivot d'une entente entre traders d'une dizaine de grandes banques de par le monde. Ensemble, ils ont faussé le calcul de ce taux, qui sert d'étalon pour les milliards de milliards de dollars de produits financiers s'échangeant chaque jour.

Entre octobre 2006 et novembre 2010, Hayes avait passé un accord secret avec des collègues courtiers en vue de falsifier à plus de trois cents reprises les données communiquées respectivement à l'Association des banquiers britanniques et à la Banque du Japon, afin de leur permettre de calculer les taux auxquels les banques se prêtent de l'argent.

Le trader soudoyait des intermédiaires avec du liquide ou en leur promettant de lucratifs contrats.

---

1. London interbank offered rate (en français : taux interbancaire pratiqué à Londres).

L'un de ses interlocuteurs était un courtier londonien, Colin Goodman. Celui-ci faisait autorité sur l'indice du négoce du yen. Les banques qui recevaient chaque matin son e-mail leur suggérant un taux avaient tendance, par facilité ou par paresse, à reprendre son estimation dans leurs soumissions. Mais l'expert, qui, par vantardise, se faisait appeler Lord Libor, suivait en fait les instructions de Hayes. En échange des tripatouillages de l'outil de référence, l'opérateur recevait de ce dernier l'équivalent de 1 500 euros par mois, à l'occasion une caisse de champagne et le remboursement des frais de bouche, en général un poulet au curry. Tout cela paraît dérisoire au regard des sommes en jeu mais, pour l'encourager à tricher, Hayes ne cessait de lui répéter : « Bientôt tu pourras t'acheter une Ferrari. » Et chaque fois que Goodman avait des états d'âme, l'organisation menaçait de lui retirer ses ordres d'achat et de vente qui constituaient une bonne partie de son bonus.

Soupçonné de fraude et de collusion, Hayes a droit à la présomption d'innocence. Mais il a tout de même été arrêté à Londres le 11 décembre 2012, après avoir été auparavant inculpé d'escroquerie, de conspiration et de violation de la loi anti-trust aux États-Unis qui exigent son extradition !

Son histoire, sans être banale, n'a rien d'exceptionnel : seule la fin est spectaculaire. C'est la saga d'une réussite sociale dans l'univers méritocratique de la finance spéculative. Qu'est-il arrivé à ce garçon ? Son diplôme de mathématiques et d'informatique en poche, Hayes avait, à l'origine, été recruté par la filiale londonienne de la banque suisse UBS, en 2001. Le matheux est alors affecté au trading des produits financiers les plus complexes basés sur le Libor.

Le chemin est tout tracé vers la gloire et la fortune.

Ce boulimique de l'agiotage ne connaît pas les mots fatigue, repos ou amis. Épaté par ses gains faramineux, son employeur helvétique l'envoie, au printemps 2008, à Tokyo, où il négocie non seulement le taux interbancaire local mais également des produits dérivés aussi sophistiqués qu'opaques.

Jaloux de sa réussite, ses collègues à Tokyo l'avaient péjorativement surnommé « Rain Man » (« Supergénie ») en référence à la chanson d'Eminem sur les faiseurs de pluie qui provoquent des flots de dollars. Le succès est tel que Goldman Sachs essaie de le débaucher quelques mois après son arrivée en lui proposant un pont d'or. UBS, qui ne tient pas à le voir partir, surenchérit. Moyennant quoi, le « Rain Man » accepte de rester chez les Suisses. Mais un an plus tard, il leur fait faux bond en rejoignant la filiale japonaise de Citigroup. La banque américaine double sa rémunération fixe et lui promet un bonus garanti (quelle que soit sa performance) ! Il a visiblement la baraka. Mais le jeu est biaisé.

En 2010, plus de deux ans après la chute de Lehman Brothers qui avait déclenché la crise financière, un collègue londonien envieux découvre le pot aux roses. La direction est avertie. Hayes est licencié manu militari. Sa chute devient l'épicentre d'un formidable séisme financier. Pour se protéger, Citigroup informe immédiatement les autorités de Washington qui déclenchent une investigation à l'échelle mondiale à laquelle participent une dizaine d'organismes nationaux ou internationaux de surveillance. La traque amène les régulateurs britannique et américain à imposer une lourde amende à pléthore d'établissements de renom.

Ce scandale démontre qu'il n'y a pas eu de vraie rupture et de changement de mœurs dans ce charmant milieu.

La situation est d'autant plus dangereuse qu'à la suite de la crise de 2008, les pachydermes de la finance, sortis plus forts de l'hécatombe, ont accentué leur pouvoir et donc, d'une certaine façon, la fragilité du système. Aux États-Unis, le bilan des quatre premières banques – JPMorgan, Bank of America, Citigroup et Goldman Sachs – représente la moitié du PNB américain et plus de trois fois celui de la France. Aujourd'hui, les dix plus grands établissements des États-Unis contrôlent plus de 50 % des actifs bancaires contre 30 % dans les années quatre-vingt. Très organisé, cet oligopole a non seulement préservé mais conforté sa position au cœur du système. En raison de leur taille colossale, ces banques apparaissent invincibles. Elles sont *too big to fail* (trop grandes pour faire faillite).

L'affaire du Libor souligne combien les mastodontes impliqués dans ce scandale ont tous été bâtis sur le même modèle, fait de bric et de broc. Une série de fusions et d'acquisitions ont donné naissance à des monstres : les banques « universelles ».

Cette taille excessive est d'autant plus dangereuse que la structure des banques n'a fondamentalement pas changé. Comme avant la crise, les traders continuent de mener le bal. Au sein de ces conglomérats offrant l'ensemble des services financiers, cohabitent deux faces le plus souvent antagonistes.

La première, la plus importante en termes d'effectifs,

est fondée sur les rapports personnels avec les clients, des liens marqués par la civilité, le donnant-donnant et le respect d'un minimum d'éthique. Les fusions-acquisitions, les introductions en Bourse, la levée de capitaux ou la gestion de patrimoine relèvent par exemple de cette culture. C'est la banque « vanille », comme on dit à Londres à propos du sexe pas très imaginatif : prudente, consensuelle, simple. L'esprit d'équipe l'emporte sur les commodités personnelles. A priori donc, rien de bien menaçant.

Le second aspect est l'activité de trading. Grâce à des transactions dans lesquelles le prix, le volume et la rapidité importent avant tout. Les liens avec les institutions financières partenaires par téléphone ou e-mails sont impersonnels et conflictuels. Le trader est par définition un individualiste forcené, peu loyal envers ses collègues et l'entreprise. Son seul objectif est de faire rapidement du chiffre pour gonfler sa prime de fin d'année. Immédiatement et quelle que soit la méthode. C'est la spéculation sans entraves.

Ce pôle est créateur d'immenses profits. Or, dans les banques encore plus qu'ailleurs, le pouvoir est à celui qui crée de la richesse. C'est la raison pour laquelle, malgré la crise, la culture transactionnelle – sentiment d'impunité, avidité et orgueil démesuré – reste dominante dans les salles de marchés.

Une autre manipulation en apporte la preuve.

À première vue, la taille énorme du Forex (Foreign Exchange), les sommes considérables en jeu[1] et le grand

---

1. Plus de 5 000 milliards de dollars de transactions quoti-diennes, l'équivalent du produit intérieur brut annuel de l'Allemagne. Londres contrôle 41 % des volumes.

nombre de participants protègent ce marché visible, mobile et vital des fraudes. Le business ? La spéculation sur les monnaies. Les acteurs ? Des traders considérés un peu comme les sans-grades, les OS des salles de marchés.

Les achats et les ventes ne nécessitent aucun savoir-faire particulier, ni grande ingénierie financière. Il faut seulement posséder « l'instinct », un mélange d'habileté, de nerfs solides, de don des chiffres et de flair, ainsi qu'une bonne compréhension de la macroéconomie et de la politique internationale. Sur le marché des grandes devises dites liquides, comme le dollar, l'euro ou la livre sterling, c'est l'ordinateur qui obtient des correspondants de par le globe les meilleurs taux pour les clients. Le nombre limité de devises activement négociées dans le monde – une quinzaine, largement dominées par le billet vert – constitue un rempart contre les mauvaises surprises. Le négoce des monnaies est de surcroît très organisé, en particulier au niveau des paiements.

C'est sans compter sur l'ingéniosité d'une bande de traders londoniens sans foi ni loi.

Racontons, par le truchement d'une reconstitution, comment ils s'y sont pris pour manipuler ce marché. À sept heures du matin, à l'issue d'une courte présentation sur les premières tendances et les indicateurs économiques qui doivent être publiés dans la journée, le trader A, spécialisé dans les changes, prend sa place à son bureau bardé d'écrans, de téléphones et de micros. New York dort et Tokyo ferme. La veille, l'intéressé a passé une excellente soirée en compagnie de quatre autres opérateurs en devises, B, C et D, à courir les pubs avant d'aller admirer dans un club de lap dancing de superbes créatures nues, se laisser glisser, la tête en bas, le long d'une barre chromée. Le groupe est une fraternité qui s'est donné un nom guerrier et glauque : « La Mafia » (tout ceci est vrai !).

Pendant la matinée, A s'efforce d'obtenir de ses correspondants de par le monde les meilleurs taux de change, qui varient d'heure en heure, pour ses clients. Entre deux transactions, il utilise le système de messagerie instantanée des ordinateurs, les *chat rooms*, pour parler à B, C et D. Ils parlent gras, usant d'un langage de charretier profondément vulgaire. Mais pas seulement. En début d'après-midi, A échange surtout des tuyaux avec ses compagnons de virée pour se faire une idée précise du marché avant le fixing clé de seize heures. Cette séance détermine les taux de change auxquels les importateurs et les exportateurs vont solder leurs transactions de par le monde. Ce prix de référence est également utilisé par les investisseurs institutionnels comme les fonds de pension pour calculer la valeur de leurs actifs étrangers.

Ensemble, les cambistes passent des ordres massifs d'achat et de vente de devises pendant le court laps de temps précédant la fixation du cours des monnaies pour tenter de manipuler l'indice WM Reuters[1]. Le partage d'informations privilégiées leur permet de prendre des

---

1. L'indice WM Reuters est un taux de change calculé toutes les heures pour cent cinquante-huit monnaies en faisant la médiane des transactions réalisées sur les marchés pendant une période de soixante secondes.

positions avantageuses sur les devises les moins courantes et les moins liquides. Vu les volumes en jeu, le moindre mouvement de cours permet d'engranger des gains considérables.

Money, money, money. Sur ce marché peu sophistiqué du Forex, les bonus sont jugés dérisoires comparés à ceux de l'élite du courtage, ces mathématiciens brillantissimes qui jonglent avec les produits financiers exotiques. La frustration des « ploucs » du « Forex-gate » était d'autant plus grande que la City avait renoué avec des rémunérations exorbitantes pour les princes des produits financiers sophistiqués. Les vieilles habitudes sont donc de retour.

Le plus extraordinaire, c'est que la nouvelle réglementation européenne, qui vise à plafonner les rémunérations variables afin de décourager la prise de risque excessive, est d'ores et déjà contournée[1].

Comme si la chute de Lehman Brothers et la crise économique sans précédent qui s'ensuivit n'étaient plus qu'un lointain souvenir, les banques, notamment à Londres, se jouent facilement des nouvelles restrictions. Le salaire fixe peut être accru pour compenser la contraction des primes. Des indemnités mensuelles en cash ou en actions peuvent pallier le gel des bonus proprement dits. Certains se voient octroyer un prêt non remboursable si le bénéficiaire ne quitte pas l'entreprise avant un certain nombre d'années. Les contributions

---

1. La régulation européenne prévoit qu'à compter de 2015 (c'est-à-dire sur les résultats de 2014), les primes de fin d'année ne pourront plus, en principe, dépasser 100 % du salaire fixe, en tout cas sans que les actionnaires aient été consultés. En tout état de cause, les primes ne pourront pas aller au-delà de 200 %.

patronales à la retraite peuvent également être relevées. Ces solutions sont d'autant plus faciles à mettre en place que les administrateurs externes, qui constituent la commission de rémunération, avalisent les exigences de l'équipe dirigeante les yeux fermés. Issus du même monde que les patrons qu'ils sont censés contrôler, ils refusent de cracher dans la soupe qui les nourrit grassement en s'opposant à ces bonus mirobolants.

Si on veut changer en profondeur le système, il faut modifier de fond en comble le système de rémunération. Il n'y a aucune raison qu'un professionnel de la finance gagne bien plus qu'un industriel. C'est le seul secteur, en particulier le trading, où l'on peut faire fortune très jeune et très vite. Résultat, les banques attirent trop souvent des éléments motivés non pas par intérêt pour le métier mais par cupidité. Des banksters en puissance...

La tentation était d'autant plus grande que les conjurés du Forex étaient protégés par le design totalement opaque du marché des changes, encouragé par la poignée de supermarchés bancaires[1] qui tiennent en main le négoce des monnaies. Le commerce des devises n'est pas réglementé. Le code de conduite de ses opérateurs est volontaire.

Quant à la Banque d'Angleterre, elle avait une confiance absolue dans les professionnels du Forex. Un comité mixte de régulateurs et des participants les plus influents se réunissait chaque trimestre pour un échange de vues entre gens de bonne compagnie. Plusieurs des représentants de la profession qui siégeaient à cet

---

1. Deutsche Bank, Citigroup, Barclays et UBS contrôlent plus de 50 % des transactions.

organe dénué de tout pouvoir étaient partie prenante à la machination.

Dans un tel contexte, faut-il s'étonner que les dérives persistent ?

Les supérieurs des traders incriminés leur ont-ils laissé carte blanche avec un parfait cynisme ?

9.

Frankenstein détruit...
par son propre créateur

Le décor d'opérette est celui d'un château diabolique d'Europe centrale, noyé de brume, transposé dans un cadre blanc et glacial aux allures de cathédrale du futur. Pas de crânes dans des bocaux, de dessins anatomiques ou de vaste chaudron à sorcières, mais des listings, des ordinateurs et des téléphones. Les vieux manuscrits poussiéreux ont été remplacés par des disquettes. Le laboratoire du baron Frankenstein – héros d'un roman gothique publié à Londres en 1818 – est devenu la salle de marchés d'une banque américaine de renom au cœur de Londres : JPMorgan Chase & Co. Les fils électriques qui crépitent et lancent des étincelles ont disparu. L'univers clos où se déroule l'action à glacer le sang est un monde du silence. Des algorithmes donnent naissance à des créatures mathématiques aussi difformes que le zombie immortalisé par l'inventeur du baron, l'écrivain Mary Shelley.

L'employé du labo en cette année 2007 s'appelle Bruno Michel Iksil. C'est un trader et il est français. À l'instar de Frankenstein, ce diplômé de Centrale, l'une des plus prestigieuses grandes écoles françaises, était énergique, dynamique, impatient et obsédé par son travail. Sur son profil Bloomberg, ce fils d'ingénieur, sûr de lui et de son étoile, se vantait d'être capable de « marcher sur l'eau », à l'instar de Jésus. Le jeune homme studieux, peu soucieux de son apparence au point de travailler en jeans – de préférence noirs – et sans cravate, était l'un des spécialistes reconnus des produits dérivés les plus complexes de la place financière britannique. S'il était apprécié de ses collègues, un tantinet arrogant, il ne cherchait pas à séduire ses interlocuteurs mais à les décontenancer.

Bruno Iksil avait rejoint l'enseigne américaine JPMorgan Chase & Co à Londres après avoir travaillé dans deux banques françaises. Sa mission était d'explorer les modèles mathématiques pour les combiner dans de complexes échafaudages. Dans la City, il travaillait au Chief Investment Office, le département trésorerie de JPMorgan chargé de faire fructifier les gigantesques liquidités de la plus grande banque américaine en termes d'actifs.

L'abominable créature ? Ce sont les Credit Default Swaps, les fameux CDS. Ces contrats d'assurance sur une dette, destinés à protéger le créancier, garantissent à ce dernier qu'il sera remboursé même si son débiteur fait défaut. Principalement contractés entre institutions financières, ils offrent aux investisseurs la possibilité de limiter les risques associés à des obligations d'où qu'elles viennent.

Théoriquement destinés à protéger un défaut de paiement, ils sont devenus des instruments de spéculation sur la probable faillite de l'entreprise ou de l'État aux yeux des marchés financiers, créant ainsi d'immenses possibilités de plus-value. En 2011, Iksil avait mis au point un produit offrant des protections contre la banqueroute de cent vingt et une grandes compagnies américaines.

Dès qu'il avait obtenu le feu vert de sa direction, Iksil s'était lancé dans des transactions sortant des sentiers battus en obtenant des dérogations. Il avait également neutralisé les services informatiques afin d'enregistrer ce qu'il fallait pour court-circuiter les contrôleurs de risque. Tous les traders fous utilisent ce même schéma dit « salami » pour endormir leur entourage.

Il avait ensuite misé avec succès sur la faillite de plusieurs de ces entreprises. Celle de la compagnie aérienne American Airlines avait rapporté 400 millions de dollars à son employeur. Avec ses deux supérieurs, il avait empoché 32 millions de dollars d'émoluments cette année-là.

Mais un an plus tard, en toute opacité, grâce à des opérations faites de gré à gré et non pas sur des Bourses, M. Iksil avait accumulé jusqu'à 157 milliards de dollars de CDS dans le portefeuille de la banque ! Ces énormes positions qu'il prenait lui avaient valu le surnom de « Baleine de Londres » dans le quartier d'affaires londonien. Elles provoqueront la perte de courtage incroyable de 6 milliards de dollars subie par JPMorgan en 2012 à la suite de ses paris ratés.

Outre les premiers rôles de Frankenstein (Iksil) et de la créature (les CDS), notre superproduction hollywoodienne possédait un casting de trois autres personnages qui, à première vue, n'avaient rien de bien malfaisant mais qui se révéleront redoutables pour ne pas dire maléfiques, ce qui serait excessif !

Le supérieur d'Iksil, Javier Martin-Artajo, était le directeur opérationnel du Chief Investment Office. Lié par des liens de famille à Alberto Martin-Artajo, ministre des Affaires étrangères de Franco entre 1945 et 1957, ce conservateur, descendant d'une longue lignée de grands bourgeois ibériques, avait tout du conquistador parti se tailler un empire au fil de l'épée. Moins extraverti et plus angoissé qu'on ne le croyait, l'Espagnol avait des vues très arrêtées.

Martin-Artajo et Iksil étaient placés sous les ordres d'une femme déterminée, basée à New York : Ina Drew. Elle était l'une des banquières les plus puissantes et les plus riches de Wall Street. Chez JPMorgan, on appréciait l'élégance de cette grande blonde, toujours impeccable dans un ensemble Chanel noir. En outre, elle avait acquis de son itinéraire personnel le sens du travail en équipe. Ina Drew avait dû s'imposer dans un environnement masculin, très macho. Pour tout diplôme, elle n'avait qu'une simple licence de relations internationales d'une université américaine de second ordre, ce que lui reprochaient les légions de diplômés des grandes écoles de commerce plus brillants les uns que les autres. Mais le personnage était doué et consacrait toute sa vie à son travail, une *work addict*. Elle savait écouter et se montrer conciliante tout en défendant férocement son fief dans les inévitables conflits de frontière.

Parmi les poids lourds de la banque, personne n'était plus proche du P-DG, Jamie Dimon, qu'Ina Drew. De tous les autres cadres, c'est elle qui avait l'accès le plus direct au grand patron, celle dont il écoutait le plus les conseils. À l'évidence, ce banquier altier l'adorait et ne perdait aucune occasion de le faire savoir. Sorte d'État dans l'État, Drew ne rendait de comptes qu'à Dimon. Ce dernier, banquier d'affaires à l'ancienne et à l'intelligence acérée, avait effectué un sans-faute jusque-là en redonnant sa splendeur d'antan à une maison sclérosée dormant sur ses lauriers et sa morgue. Grâce à sa prudence et à sa méfiance envers les produits financiers miracles, son enseigne avait surfé sur la crise des subprimes de 2008. « Super Jamie » était considéré comme le pompier du plus grand incendie financier du siècle.

Le choc n'en sera que plus rude.

Le 6 avril 2012, le *Wall Street Journal* révèle les positions colossales prises par Bruno Iksil. Sous le titre : « La Baleine de Londres secoue le marché de la dette », Gregory Zuckerman et Katy Burne décrivent l'ampleur des positions du trader français dans les détails. C'est sidérant. Les CDS ont échappé à leur créateur.

Les auteurs des révélations sont deux poids lourds du journalisme financier américain. Éditorialiste du grand quotidien américain des affaires, Zuckerman a écrit la biographie officielle du spéculateur John Paulson. Burne est responsable de la rubrique « obligations et produits dérivés » à l'agence Dow Jones. Aucun de mes contacts dans les hedge funds, pourtant toujours à l'affût des rumeurs de marché, ne m'avait averti des énormes positions d'Iksil. Personne n'avait entendu parler de ce « Frenchie » ! Il est vrai que du vendredi au lundi, il travaillait chez lui à Paris. Et il n'existait pas la moindre photo de lui.

Dans un premier temps, JPMorgan nie maladroitement les faits, puis la banque les reconnaît mais en minimisant les pertes. Quand, le 13 avril 2012, Jamie Dimon répond à des analystes l'interrogeant sur les énormes risques pris par sa banque, il évoque – pour le regretter aussitôt – « une tempête dans un verre d'eau ». Or le patron est parfaitement au courant de l'augmentation exponentielle des pertes et de la difficulté de débloquer les positions.

Deux mois plus tard, le P-DG fait un mea culpa tardif. « Nous avons fait une erreur terrible. » Mais il est hors de question de démissionner. La réticence à faire repentance fait partie des gènes de ce prototype des Maîtres de l'univers. Surtout, malgré les déboires en série et le paiement de très lourdes amendes, analystes, investisseurs et même régulateurs plébiscitent le maintien de Dimon à son poste. Vente de crédits immobiliers toxiques à des particuliers, soupçons de manipulation des prix de l'énergie aux États-Unis ou accusations de corruption en Chine... Malgré les scandales à répétition, il est considéré comme le meilleur P-DG de Wall Street (au côté d'un autre survivant, Lloyd Blankfein, à la tête de... Goldman Sachs). Et il est donc toujours en place.

Ce scandale me fait revenir à l'esprit la rencontre, au début 1995, avec un personnage à l'époque considérable : Peter Baring. J'avais rencontré pendant une heure le président de la vénérable banque Barings et je m'étais prodigieusement ennuyé, pour s'exprimer poliment, en écoutant les belles formules vides que ce spécimen de l'establishment britannique *born to rule* enfilait. Les antiquités et les peintures anciennes de famille qui décoraient son bureau du 8 Bishopsgate rappelaient les origines majestueuses de la plus vieille banque d'affaires britannique fondée en 1762. *By Appointment to the Queen...*

Mais derrière cette façade surannée et ce beau décor en carton-pâte à la *Brideshead Revisited* était implantée l'une des banques les plus rentables de la City. La machine spectaculaire à dégager des profits triomphait sur les marchés émergents asiatiques. En particulier sur la Bourse à terme de Singapour, le Simex, où excellait un certain Nick Leeson. Le jeune trader passait ses journées à spéculer, avec la bénédiction de Peter Baring. Mais, après avoir accumulé de lourdes pertes sur ses positions, le jeune homme s'était lancé dans une fuite en avant pour tenter de se refaire, entraînant dans sa chute l'institution au sang bleu.

La faillite, le 26 février 1995, de la Barings aurait dû déclencher tous les signaux d'alarme sur les dangers de cette finance devenue folle. En effet, les ingrédients de ce qui allait se passer étaient là, à commencer par l'inconscience doublée de la cupidité de nombreux dirigeants.

J'étais resté en contact avec l'ex-mari d'une amie qui, après le divorce, était parti refaire sa vie en Asie. J'ai sorti l'affaire grâce à un responsable chez Barings à Singapour. Le dimanche 26 février 1995, il m'avait appelé en pleine nuit pour m'alerter de la découverte du « trou » de 800 millions de dollars causé par Nick Leeson sur les marchés dérivés japonais. Une étincelle s'était allumée dans mon cerveau : j'entrevoyais une catastrophe d'envergure en me souvenant de la calamiteuse conversation avec Peter Baring.

Mon copain m'avait dit : « Nick Leeson a saboté son ordinateur, de manière à cacher la moitié de ses transactions frauduleuses pour n'en faire apparaître qu'une toute petite partie. Personne d'autre que lui ne pouvait avoir accès à ce programme. Quand j'alertais mes supérieurs à Londres, on me répondait invariablement : "Laissez-le en paix. On le contrôle directement d'ici." » Ce petit manège a duré un an, ce qui lui a permis de continuer ses escroqueries jusqu'au bout. Visiblement, ses chefs du siège étaient plus intéressés par ses faramineux profits que par le souci de contrôler ses activités. « Si j'avais pu avoir accès à son computer, il était pris la main dans le sac. »

Il ne faut pas mettre Bruno Iksil dans le même panier que l'escroc Nick Leeson. Le Français a pour lui d'avoir prévenu ses supérieurs dès janvier 2012 de son « niveau effrayant de pertes ». En mars 2012, lors d'une conversation téléphonique, Iksil avait déclaré à son subordonné : « Je ne peux pas continuer... Je pense qu'il [M. Martin-Artajo] attend qu'on revalorise à la fin du mois... Je ne sais pas où il veut en venir. Cela devient stupide. » Ses avertissements avaient été ignorés en haut lieu. Jamie Dimon était même intervenu en personne pour débloquer discrètement des fonds afin de permettre à ses traders de tenter de reprendre la situation en main. On appelle cela une fuite en avant.

Étonnant paradoxe de cet univers qui en compte tant : ceux qui prétendent être les champions du capitalisme sont ceux qui le pervertissent le plus. L'incitation à transgresser venait de Jamie Dimon en personne. En 2011, il avait fustigé en public la règle Volcker interdisant les opérations spéculatives[1], jugée « anti-américaine », une expression tirée du maccarthysme anticommuniste et de la chasse aux sorcières

---

1. Du nom de l'ancien conseiller économique de B. Obama et ex-président, de 1979 à 1987, de la Réserve fédérale américaine, la règle Volcker interdit aux banques la pratique des « opérations pour compte propre », par lesquelles elles interviennent sur les marchés de façon déconnectée de leur activité de conseil en investissement.

qui avaient déferlé sur Hollywood au début des années cinquante. Quand il devient idéologique, le libéralisme peut facilement déraper. Il avait récidivé sur le même registre en rebaptisant la loi Dodd-Frank[1] « Dodd-Frankenstein ». En outre, la banque, même si elle s'en défend, avait transmis des données incorrectes au régulateur, The Office of the Comptroller of the Currency, en lui disant qu'elle comptait réduire les positions de « la Baleine de Londres », alors qu'elle continuait à les augmenter. Au début 2012, JPMorgan avait refusé de fournir des informations sur le sujet à cet organisme de supervision fédéral, pourtant timide et traditionnellement proche de Wall Street... qui a quand même continué à fermer les yeux !

Au cours des quatre premiers mois de 2012, ce joli petit monde avait enfreint plus de trois cents fois les procédures ! En mai 2012, un rapport pathétique, proche du ridicule, publié par le propre contrôleur de la maison, avait toutefois blanchi le clan des Londoniens de toute responsabilité dans cette débâcle.

Au bout du compte, le monstre s'est vengé de ses créateurs. Bruno Iksil et Martin-Artejo ? Ils ont été licenciés manu militari. Leur bonus des deux dernières années ? Confisqué ! Si Ina Drew a elle aussi été sacrifiée en mai 2012, elle a au moins reçu en échange de son silence un parachute doré d'une trentaine de millions de dollars.

---

1. Paraphée le 21 juillet 2010 par le président Obama, la loi de régulation financière dite Dodd-Frank – qui comprend la règle Volcker – est l'un des piliers de la nouvelle réglementation financière outre-Atlantique. La législation vise à mieux maîtriser le risque systémique.

Une belle récompense pour avoir permis à la Créature d'échapper à l'utilisation que voulait en faire son créateur.

Le baron Frankenstein a encore de beaux jours devant lui, on dirait.

10.

Burn out, les financiers aussi

Le cercle de la haute banque perpétue donc ses us et coutumes. Changer ? Le problème, c'est qu'une nouvelle culture d'entreprise vient toujours d'en haut.

Or l'une des raisons de ces dysfonctionnements au sommet tient tout bonnement au surmenage, au « burn out » comme on dit, ce syndrome de souffrance au travail provenant de l'exposition au stress permanent.

Le scénario se reproduit tous les deux mois en moyenne. Je déjeune en tête en tête avec l'un de mes contacts les plus précieux dans la City, l'un des directeurs généraux d'une grande banque européenne. La rencontre se déroule invariablement dans son bureau panoramique. L'anonymat est garanti pour permettre une conversation à bâtons rompus.

Le repas minceur rehaussé d'eau minérale est servi sur la table de conférence. Entre treize heures et quatorze heures trente précises, il répond en toute confiance à mes questions. Cette belle machine intellectuelle décrit avec minutie comment les grands dossiers de l'heure sont vécus de l'intérieur du système. Attentif à son invité, l'hôte évite de regarder ses messages sur le téléphone posé à côté de son assiette. Cette rencontre est l'une de ses rares plages de liberté.

Même s'il me fait confiance, mon interlocuteur n'aborde jamais des affaires concernant directement son propre établissement. On s'en tient à des généralités. Comme c'est toujours le cas dans la City, la conversation va rarement au-delà de la sphère professionnelle. Chacun garde son quant-à-soi. C'est mieux ainsi.

Sa voix est souvent fatiguée. La plupart du temps, je lui trouve un teint blafard, marqué par l'épuisement. Son emploi du temps est de la folie. Il se lève aux aurores et rentre très tard au bercail, généralement avec des dossiers sous le bras. Sa moyenne annuelle de voyages en avion ou en Eurostar doit dépasser celle d'un pilote de ligne. Il doit sans arrêt remettre sa montre à l'heure new-yorkaise du fil Bloomberg ou londonienne de Reuters. Sans cesse sollicité par des clients de plus en plus exigeants, il est constamment engagé dans un sprint alors que la conduite des bonnes affaires est une entreprise de longue haleine, digne d'un marathon.

Noyée sous les mails (trois à quatre cents par jour en moyenne), textos et autres rapports, ma source est obligée de travailler le samedi et passe souvent la moitié du dimanche au téléphone. Heureusement, le banquier pratique la lecture rapide. Sa silhouette svelte indique un régime alimentaire spartiate et la pratique du sport. Mais notre banquier londonien profite peu de la ville la plus excitante au monde. Les rares loisirs sont familiaux. Faute de quoi, le professionnel de la City et son épouse évoluent différemment et finissent par divorcer, ce qui est souvent le cas. L'enrichissement personnel lui permet d'ôter tout souci matériel à sa famille. Il possède en général une superbe collection de tableaux. C'est son jardin secret.

Gardien de la réputation de la banque, l'intéressé ne veut bien sûr pas entendre parler de prises de risques excessifs. Toutefois, ce message-là ne descend pas dans les salles de marchés, au niveau des sous-officiers et des soldats dans les tranchées. Les institutions financières sont d'une énorme complexité. L'information circule mal entre les différents niveaux hiérarchiques. C'est pourquoi les bonnes intentions visant à forger une éthique financière restent trop souvent lettre morte.

Il est certes très difficile de ne pas faire de stéréotype quand on généralise sur une profession. De l'extérieur, une place financière semble un lieu monolithique et compact, alors que cette apparente étanchéité recouvre un foisonnement de personnalités. Reste que les seigneurs de l'argent partagent un point commun : la nécessité de desserrer l'étau du temps leur est difficile.

Face à l'état de burn out, les médecins préconisent des vacances pour recharger les batteries. Mais se requinquer n'est pas pour demain. Aux États-Unis, un banquier senior a droit à trois semaines de congés payés, contre cinq semaines en Europe. L'homme de la City prend en général toutes ses vacances. Mais à quoi bon les congés s'ils sont passés à vérifier frénétiquement ses e-mails ou à participer à d'interminables audioconférences ?

Je me souviens ainsi de huit jours de vacances passées en 2009 aux îles Caïmans, charmant archipel des Antilles (et accessoirement sympathique paradis fiscal pour ceux qui en ont les moyens !), en compagnie d'un avocat d'affaires américain basé à Londres et de son épouse. Le couple possédait un somptueux cottage en bois sur l'interminable plage blanche aux eaux limpides et chaudes de George Town, le chef-lieu de cette colonie de la Couronne britannique nichée à 7 000 kilomètres de la City.

Ce fut un véritable calvaire. Dans la voiture, il avait fallu rester silencieux la plupart du temps parce que mon hôte participait à une audioconférence sur son portable en hurlant tout le temps. Souvent, nous devions faire de longues distances dans ce mouchoir de poche pour trouver une zone de réception adéquate. Quand ce fringant quinquagénaire (et toutes ses dents) conduisait, la pire des places était à ses côtés car il fallait lui lire sans cesse ses messages. Il ne se déplaçait jamais sans plusieurs BlackBerry, jamais éteints, un laptop et un iPad. La maison était petite et nous étions réveillés quasi quotidiennement à deux heures du matin par la sonnerie du téléphone en raison du décalage horaire avec Londres !

Quand il ne passait pas ses coups de fil, l'associé se rendait fréquemment dans les bureaux décorés d'art abstrait de la filiale locale de son cabinet international, spécialisée dans l'immatriculation de hedge funds. La façade carte postale de l'ancien repaire de pirates cache la cinquième place financière au monde et ses forbans modernes, les financiers off-shore. Eaux transparentes et fonds opaques vont souvent de pair. Pendant son séjour, le brillant juriste avait fait plusieurs allers et retours à New York.

En préparant le petit déjeuner – jus de fruits frais, céréales et yoghourt maigre –, sa douce épouse m'a raconté comment il avait récemment pris un jour de congé en vue d'assister à la cérémonie de remise du diplôme universitaire à sa fille aînée. Il avait raté la fête en raison de coups de fil à répétition. Pendant le dîner, sa place était inoccupée. Le professionnel corvéable à merci a passé la soirée dans la voiture, sur le parking. La vie de famille est dévorée par le travail. Les affaires passent avant tout. C'est le prix à payer pour vivre sous une cloche de verre, magnifique et très agréable, mais tout de même une cloche de verre.

Le fardeau de cette culture stakhanoviste est d'autant plus lourd à porter qu'il n'est pas question de violer la règle d'or du banquier d'affaires : se taire. Dans ce métier, la confidentialité n'a pas de prix. La « fuite » est une hantise. Lors d'un déplacement, consulter un document de travail dans un train ou un avion, ou se laisser aller à une confidence, équivaut à un suicide professionnel.

À l'heure de la mondialisation et de la chasse aux mandats, tout le monde espionne tout le monde. La concurrence peut faire donner ses plus belles espionnes. C'est sans doute pourquoi, dans la classe affaires long courrier de British Airways, les sièges ne sont pas côte à côte, mais se font face. Après le décollage, c'est à qui sera le premier à installer l'écran spécial en accordéon l'isolant complètement de son voisin. La formule rituelle est « Cela ne vous dérange pas ? », à laquelle vous répondez, en choisissant soigneusement vos mots : « Pas du tout, au contraire. » Rencontrer le regard d'un inconnu, lui parler est un champ miné de nuances, comme le savait le colonel Bramble d'André Maurois.

Dure vie ! Je plaisante – mais à moitié. Bien sûr, mes interlocuteurs l'ont choisie. Mais il reste que cette impossibilité de se confier même à ses proches et cette obligation de faire son métier dans ces conditions peuvent peser lourd. Gare à la dépression, à l'un de ces coups de blues prolongé qui fait douter de tout et de tous !

Le train d'enfer de la City a ainsi coûté la vie à un stagiaire du département fusions-acquisitions de Bank of America Merrill Lynch à Londres. On a retrouvé mort Moritz Erhardt, dans sa douche, en septembre 2013. Le décès a été causé par une crise d'épilepsie provoquée par l'épuisement après soixante-douze heures de présence au bureau sans interruption et aggravée par des antécédents médicaux passés sous silence. Travailleur compulsif, le jeune Allemand espérait impressionner ses supérieurs et être embauché après ses études. Il avait vingt et un ans.

Les stagiaires, comme les analystes et les économistes débutants, sont en théorie soumis à la législation britannique, limitant les heures de travail à quarante-huit par semaine. Mais, lors de leur recrutement, les banques du Square Mile exigent des nouveaux venus qu'ils signent un document exemptant l'employeur de respecter ces limites. Les futurs banquiers acceptent, sans ciller, ces termes, théoriquement illégaux, par peur de perdre leur emploi à la première charrette ou de compromettre leur carrière. Rares sont ceux qui rechignent devant cette tâche fastidieuse. C'est le prix à payer.

Se tourner vers la méditation, le yoga ou tout autre exercice relevant du courant *mindfulness* – « en pleine conscience » – cadre mal avec la culture financière. C'est un aveu de faiblesse dans cet environnement viril et ultracompétitif. La philosophie baba cool est à des années-lumière de l'image sérieuse et battante qu'entendent projeter les sanctuaires du capitalisme financier.

La cocotte-minute que sont en permanence les salles de marchés et la rivalité à couteaux tirés entre traders accentuent également le climat d'animosité et de vindicte. Avanies, vexations et humiliations rythment fréquemment la vie des affaires, avec des conséquences souvent dramatiques.

Josef Ackermann est l'exemple type de ces dérèglements. La présidence de la compagnie Zurich Insurance, numéro 3 européen, était censée être une sinécure pour l'un des banquiers les plus célèbres au monde après dix ans de pouvoir pleinement exercé à la direction générale de la Deutsche Bank.

Comment présenter sous le meilleur jour les mauvais résultats de Zurich lors du premier semestre 2013 en évitant un dévissage du cours boursier déjà au plus bas ? Ackermann voulait afficher de bons résultats. Il entendait « lisser » la baisse brutale des profits en raison d'une série de catastrophes naturelles et du faible rendement des obligations de l'État suisse détenues en trésorerie. Un bon mea culpa de la direction financière devait suffire à faire passer la pilule. Mais son responsable, Pierre Wauthier, ne voulait pas en entendre parler. Lors des conseils d'administration, Ackermann avait multiplié affronts et blessures à son encontre.

La lutte était inégale. Ressortissant suisse, Ackermann est trapu, le visage carré comme écrasé par un étau d'énergie. À la tête de la Deutsche Bank, il a transformé cette institution centrée sur le marché domestique allemand en un conglomérat financier planétaire rivalisant avec les Goldman Sachs, JPMorgan ou Morgan Stanley. Avec une habileté redoutable qui lui a valu une réputation détestable, le joueur cynique s'est débarrassé de tous les dissidents, s'entourant d'une garde rapprochée d'Anglo-Saxons sûrs et dévoués qui partageaient sa vision hyper-libérale du monde. Ce dur-à-cuire très exigeant envers ses collaborateurs déléguait peu et s'était fait de nombreux ennemis. De plus, il avait englué la banque dans le scandale des subprimes aux États-Unis. C'est la raison pour laquelle la présidence de la prestigieuse Deutsche Bank lui avait échappé. Il en avait gardé une vive rancœur.

Le directeur financier, lui, venait d'une autre planète. Après avoir été diplomate au Quai d'Orsay, puis banquier d'investissement chez JPMorgan, Wauthier avait choisi le métier d'assureur, plus en phase avec son tempérament calme. Ce grand blond était un fanatique de surf, d'où, sans doute, ce détachement à l'égard des choses et des gens, un côté nonchalant et un penchant pour dire : « On verra. »

Wauthier n'aimait pas Zurich, trop agitée. Ce cosmopolite s'était installé à une demi-heure de train de la cité helvète, dans le cadre bucolique de la petite ville de Zoug, havre de paix cher aux hedge funds, firmes de capital-investissement ou officines recueillant avec hospitalité les grands patrimoines. Sa maison, dans le style chalet suisse, bordait les eaux du Zugersee. Engagé chez Zurich Insurance en 1996, il avait obtenu son bâton de maréchal en 2011.

Le nouveau boss, propulsé depuis peu à la présidence, entendait secouer le vaisseau aux structures alourdies. Au lieu de pantoufler tranquillement dans ce poste non exécutif, il avait bouleversé un état-major réfractaire aux changements et abasourdi par cette boulimie de pouvoir. À peine arrivé, en 2012, il avait exigé et obtenu le plus grand bureau avec vue sur le lac en expulsant manu militari le responsable des placements, l'homme clé de la compagnie d'assurances. Le nouveau venu se mêlait de tout. Résultat, tout ce petit monde se détestait, se méprisait et se jalousait dans une institution sous pression.

Le choc des deux cultures s'est révélé terrible. Le 29 août 2013, le chairman a dû démissionner après le suicide, quatre jours plus tôt, de Pierre Wauthier. Retrouvé mort chez lui, ce Franco-Britannique avait laissé une lettre d'adieu à sa femme et à ses deux enfants, dans laquelle il reprochait à Josef Ackermann de l'avoir poussé à bout.

Quels enseignements peut-on tirer des mauvais choix faits par des dirigeants a priori compétents ? À quel moment des financiers à peu près équilibrés se transforment-ils en banksters ?

Tout d'abord, l'isolement engendre inévitablement des comportements à risque et des jugements précipités. Trop de P-DG prennent leurs désirs pour des réalités sans jamais envisager l'échec. Aveuglés, ils ne voient plus rien.

Ensuite, ils oublient que les catastrophes peuvent se produire, même si la probabilité d'un tel événement est faible. L'absence de recul coupe les dirigeants de la réalité, par exemple en ignorant à quel point leur banque est exposée aux mauvaises créances. Comme l'a dit le fondateur de Microsoft, Bill Gates, « le succès est un mauvais professeur, il pousse des gens intelligents à croire qu'ils sont infaillibles ».

Troisièmement, les intérêts personnels sont trop souvent en conflit avec ceux de l'entreprise. La course aux bonus peut amener les patrons de sociétés cotées à surestimer la valeur de leur entreprise et à sous-estimer l'ampleur des revirements des marchés.

De plus, le culte du chef a tendance à s'aggraver. Pour se faire respecter, celui-ci doit projeter une image de machisme, de charisme, voire de despotisme de plus en plus souvent, perçue comme la clé du succès. C'est une sorte d'empereur régnant sans partage dont le comportement est copié par les maréchaux qui gèrent l'empire, devançant le moindre de ses désirs.

Enfin, l'insensibilité au doute et la certitude d'avoir toujours raison favorisent tous les dérapages. Les « biomarqueurs linguistiques », comme disent les psychologues, témoignent d'une superbe à peine déguisée. Dans les discours, les expressions « je pense », « je sais », « j'en suis certain » reviennent en boucle.

La scène se déroule à Washington, en mars 2008, au cours d'un dîner en tête à tête entre Hank Paulson, le secrétaire au Trésor du président George W. Bush, et Dick Fuld, le patron de Lehman Brothers.

Le premier, qui fut président de Goldman Sachs (l'ennemi juré de Lehman) entre 2000 et 2006, déteste le second qu'il juge infréquentable. Surnommé « le Gorille » parce qu'il mange avec ses doigts, le patron de Lehman s'est vanté de vouloir arracher et dévorer le cœur de ses adversaires. Fuld refuse d'accepter que Lehman coure à sa perte. Il n'envisage pas une seconde de recapitaliser ou de fusionner sa maison alors que c'est encore possible. Son ego surdimensionné fait capoter toute négociation.

« Dick, il faut que tu réduises drastiquement la dette de Lehman pour la vendre au plus offrant tant qu'il est temps, lui intime le ministre de Bush.

– Hank, je suis le plus ancien patron en exercice de Wall Street. Ne me dis pas comment gérer mon entreprise. J'entends coopérer mais à mon propre rythme. »

Paulson n'en croit pas ses oreilles. Fuld est sur une autre planète. Il est persuadé qu'en cas de faillite, Washington viendra à la rescousse de sa banque prise dans la tourmente des subprimes. La faillite de Lehman va provoquer la plus grande panique financière mondiale depuis la crise de 1929.

Et que déclare l'ancien directeur général de Lehman lors de son audition en 2009 devant une commission d'enquête du Congrès ? « Lehman a été forcé de se mettre en faillite, non pas à cause de sa négligence ou faute d'avoir recherché des solutions à la crise, mais à cause de la décision, basée sur des renseignements faux, de ne pas lui apporter de soutien. » Le coupable de tous les manquements, aveuglements et impérities des subprimes explique avoir toujours agi « au mieux de [ses] capacités compte tenu des circonstances ». Un parlementaire lui met sous les yeux un document interne de la banque daté du 8 juin 2008, trois mois avant la débâcle. Une question y est posée : « Comment en sommes-nous arrivés à être si exposés [à des titres pourris] ? » Fuld répond sans ciller : « Ce document ne me dit rien. »

Cet autisme est vertigineux. Il n'a malheureusement disparu ni à Londres, ni à New York, ni même à Paris.

Plus jamais cela ! répond le discours officiel. Les signaux d'alarme passés inaperçus, la boîte noire des paradis, le laxisme des gouvernements, des opérateurs et des médias, la culture bancaire toxique… Promis, juré, les leçons ont été tirées de la crise de 2008. Et de celle de la zone euro en 2010. La City, Wall Street, les places du Vieux Continent européen comme celles des pays émergents sont désormais encadrées, paraît-il, par une réglementation digne de ce nom.

À première vue donc, tout est rentré dans l'ordre. Toutefois, le nouvel environnement dresse un paravent trompeur.

En réalité, rien ou presque n'a changé depuis le dernier krach. La domination des robots traders, les manipulations du prix de l'or, le double jeu des bureaux comptables, les machinations des négociants en matières premières ou l'absence de contrôle sur les origines troubles de capitaux chinois ou russes soulignent l'absence de rupture.

Comme nous allons le voir, la planète financière vit plus que jamais sur un volcan !

DEUXIÈME PARTIE

Résistances

11.

Les marchés achètent tout seuls !

Le jeune homme semble plongé dans une profonde rêverie. Son regard survole les fresques de l'hôtel Krasnapolsky à la gloire des bateaux de la Dutch East India Company, la compagnie qui régnait sur les comptoirs de l'empire colonial hollandais en Asie. Sous les plafonds chamarrés du vieux palace de la place du Dam, au cœur d'Amsterdam, il déclare soudain, comme sorti d'un songe : « À l'image de ce qui se passait au XVIIe siècle, aujourd'hui, le goût de l'aventure et des affaires fait partie de nos gènes. L'innovation technologique n'a jamais fait peur aux Néerlandais. »

Mon interlocuteur est un trader du troisième type. Il m'a fallu des mois pour organiser cette rencontre avec celui qui représente la forme la plus aboutie de la dépersonnalisation des marchés. Grâce à des logiciels entièrement automatisés qui achètent et vendent sans intervention humaine en réagissant en une poignée de nanosecondes – un milliardième de seconde –, il cherche à prendre avantage des anomalies les plus minimes des marchés. En plaçant des ordres massifs qu'il annule avant même leur exécution, le flibustier fait grimper ou baisser les cours.

Le trader à haute fréquence d'Amsterdam a exigé l'anonymat total. Son nom ou celui de sa compagnie ne peuvent être mentionnés. Ce scientifique de formation empreint de self control ne se livre guère. Le financier batave avoue deux passions : les jeux vidéo et les parties d'échecs. À l'écouter, ces loisirs nécessitent les mêmes qualités que son métier : persistance, discipline et goût des abstractions. Visiblement méfiant, il me scrute à la recherche d'arrière-pensées négatives. Il voudrait paraître tranquille, mais on le sent nerveux. L'irruption de tels fonceurs dans le club des Grands de la haute finance a provoqué une vive polémique sur les graves dysfonctionnements de ce métier secret et opaque cloué au pilori par Michael Lewis dans son récent best-seller *Flash Boy*[1]. Pour leur part, les régulateurs américains et européens entendent contrôler ces entités de l'économie de l'ombre qui avaient échappé jusqu'à présent à toute supervision.

Nous nous regardons en silence dans le lounge désert. Le nez dans le menu, je fais comme si je ne parvenais pas à me décider, pour mieux jauger mon vis-à-vis en train de pianoter sur son iPhone. Son calme ne reflète pas la frénésie des intrigues, des ambitions ou des complots synonymes d'une carrière dans la grande spéculation. Mon attention se porte sur un programme de concert de musique classique du Concertgebouw posé sur la table. Dans l'interlude de la conversation, je m'interroge : si le jeune homme avait été musicien, quel instrument aurait-il

---

1. Éditions Allen Lane, 2014.

joué dans un orchestre ? Les cymbales du pirate des algorithmes sans scrupules ? Les bois, plus adaptés aux programmes informatiques extrêmement sophistiqués qui permettent à l'automate de prendre toutes les décisions d'investissement ? Ou le violon du soliste, symbole d'une profession foncièrement individualiste ? Quoi qu'il en soit, la partition est résolument contemporaine. Une composition à la Boulez serait parfaitement adaptée à l'environnement de travail rigoureux, d'une propreté quasi clinique du *flash boy*. Dans ce laboratoire scientifique hypersécurisé, équipé des derniers gadgets informatiques, l'air conditionné est en permanence allumé pour empêcher la surchauffe des équipements. Il y fait un froid glacial.

L'avantage de l'ordinateur sur le trader, c'est qu'il ne sait pas seulement fixer le meilleur prix et l'exécuter de la manière la plus rapide et la plus efficace. La machine a un autre atout : elle est dépourvue de la moindre émotion. Grâce à sa rapidité, l'automate peut saisir le plus infime décalage de cours et annuler tout aussi vite jusqu'à 90 % voire 100 % de ses ordres en cas de retournement de la situation. En fin de journée, le trader à haute fréquence ne détient plus de titres. Les faibles marges bénéficiaires sont largement compensées par le volume colossal des placements. En mitraillant littéralement un marché bien plus vite qu'un battement de cils, les as des algorithmes gagnent à tous les coups, et souvent beaucoup d'argent.

Les robots dépendent des logiciels réalisés par l'être humain. En l'occurrence, l'armée de génies des mathématiques, de la statistique et de la physique qui inventent les fameux algorithmes sur la base de données historiques. Ils analysent le maëlstrom des marchés financiers pour déterminer les signaux – les transactions d'autres opérateurs, les informations des Bourses... – qui vont permettre à l'ordinateur de déclencher automatiquement les ordres d'achat et de vente. Ces modèles sont basés sur les corrélations statistiques. Ainsi, le cours du nickel est lié à la demande d'acier inoxydable, elle-même conséquence de l'état du marché de la construction, donc de la conjoncture économique générale. Si le cours du nickel augmente, un algorithme permet d'acheter automatiquement des actions de compagnies du bâtiment.

Les traders à haute fréquence se présentent comme les éclaireurs du progrès technologique traversant les chasses gardées des corporatismes de tout poil, sabre au clair. Ils ont du goût pour l'épopée et se prennent pour des mousquetaires. Ils affirment que leurs ordinateurs sont les meilleurs garants de contrôle des risques et une protection bien plus efficace que l'être humain contre les traders fous. Piéger les rivaux, traquer les innovations, casser les codes informatiques ou débusquer les hackers... C'est également un univers de paranos où l'on se surveille en permanence.

Le phénomène est apparu au début des années 2000 aux États-Unis et quelques années plus tard en Europe, en particulier aux Pays-Bas où la tradition dans le négoce des options est ancienne[1]. Ces petites compagnies, en majorité privées et qui utilisent leur propre capital, sont le fruit des déréglementations de 2005 et de 2007 qui, des deux côtés de l'Atlantique, ont accéléré la fragmen-

---

1. Les options sont le droit d'acheter ou de vendre une quantité déterminée d'un actif à un prix fixé d'avance qui ne peut être exercé que pendant une durée limitée.

tation boursière. Cette activité représente aujourd'hui les deux tiers des transactions boursières à New York et un tiers à Londres.

Et c'est là qu'il y a un problème. Moins exubérants et plus polis que Leonardo DiCaprio dans le film de Martin Scorsese, les *nouveaux loups de Wall Street* sont tout aussi redoutables. Leurs ordinateurs ont en effet envahi les Bourses.

Pour gagner de la vitesse, les opérateurs doivent être le plus proches possible des Bourses auxquelles ils sont reliés électroniquement. C'est la fameuse « colocation », qui permet aux intervenants de placer leur outil informatique de traitement des ordres extrêmement performant en plein milieu des centres de traitement électronique des Bourses. La distance entre les événements et les ordinateurs qui les traitent est cruciale.

Cette proximité pose le problème de l'égalité de l'accès aux informations sur le marché. D'un côté les petits épargnants et les sages gestionnaires de fonds, de l'autre une poignée de banksters prêts à tout. Car les *flash boys* ont, durant une fraction de seconde, une position très privilégiée : avant même que les ordres ne soient exécutés, ils peuvent capter la variation des cours. Les Bourses encouragent ces pratiques car ils sont leurs meilleurs clients et ils gonflent les commissions sur les transactions. Elles privilégient indirectement une sorte de délit d'initié à la frontière de la légalité. Le système est foncièrement biaisé. Dépourvu de l'information et de l'outil informatique, l'investisseur particulier est défavorisé face à la puissance de feu des traders à haute fréquence. Les régulateurs, quant à eux, semblent impuissants face à l'accélération du progrès technologique.

Sous l'ode à l'efficacité et son antienne à la technologie se dissimule la cacophonie des pannes et du chaos. Les systèmes informatiques sont devenus d'immenses toiles d'araignée d'une extrême complexité aux points de connexion fragiles. Mais ces réseaux sont vulnérables à l'explosion des volumes tout comme aux erreurs des sous-traitants. Ces monstres ingérables constituent aujourd'hui le plus grand risque d'implosion financière. Les coupe-circuits installés sur les marchés réglementés fonctionnent de manière inégale. La vérité ? Si le trading à haute fréquence ne présente pas de risque systémique en raison du faible nombre d'opérateurs et de l'absence de liens entre eux, le moindre bug pourrait avoir des conséquences catastrophiques.

Le *flash crash* (krach éclair) du 6 mai 2010 sur les marchés américains en est le meilleur exemple. Ce couac dans un environnement nerveux avait fait plonger l'indice Dow Jones de 9 % en quelques minutes, une énormité. Selon le rapport officiel, un défaut d'algorithme permettant une vente massive automatisée et quasi immédiate de titres opérée par un courtier perdu dans le Kansas avait été à l'origine de l'événement déstabilisateur. En fait, la faute en incombait aux traders à haute fréquence qui avaient amplifié le couac informatique en se retirant brutalement du marché.

Enfin, la crise de 2008 a été en grande partie le résultat d'une croyance aveugle de la part des investisseurs dans les modèles financiers ultra-mathématisés comme ceux utilisés par les traders à haute fréquence. Jusqu'à l'effondrement de Lehman Brothers, l'approche algorithmique a guidé la planète financière. Les opérateurs tout comme les investisseurs ont pris pour argent comptant la pensée unique de l'autocorrection des marchés.

Trois chercheurs américains ont joué un rôle clé dans la révolution électronique qui a conduit à la prééminence des machines sur l'être humain. En 1973, Fisher Black, Myron Scholes et Robert Merton avaient mis au point une formule d'une extrême complexité permettant de déterminer le prix des contrats « options[1] ». Leur découverte avait totalement chamboulé le marché des produits dérivés. En 1997, Scholes et Merton avaient reçu le prix Nobel d'économie.

En 1993, Robert Merton s'était associé au trader John Meriwether pour fonder un hedge fund, Long Term Capital Management (LTCM). Grâce au patronage du brillant scientifique, les clients se traînaient aux pieds de LTCM pour lui confier leur argent. L'aura de Merton oblitérait le passé trouble de Meriwether, ex-génie de la finance tombé en disgrâce en 1991 dans le cadre du scandale de la manipulation des adjudications de bons du Trésor américain par son employeur, Salomon Brothers.

J'avais rencontré Meriwether lors de l'une de ses visites éclairs à Londres. La star new-yorkaise ne m'avait jamais expliqué ce qu'il faisait vraiment, s'en tenant à des généralités philosophiques sur l'état de l'économie mondiale. Un homme sérieux, dénué de tout sens de l'humour, remarquablement ennuyeux, dont la seule passion était lui-même, chose courante à Wall Street. Et surtout, celui qu'on surnommait « Money Machine » ne doutait de rien.

---

1. Grâce à cette formule, les intervenants fixent à l'avance le prix auquel ils pourront vendre un actif donné.

En octobre 1998, son hedge fund LTCM a vu son capital s'évaporer en raison d'opérations malheureuses, notamment en Russie. Devant l'ampleur des pertes et des dettes qui risquaient de mettre en difficulté d'autres banques qui lui avaient fait crédit, la Réserve fédérale américaine avait dû voler au secours du spéculateur privé qui faisait, il est vrai, partie de l'establishment de Wall Street.

Dans l'euphorie économique de la fin du XXe siècle, le scandale avait été rapidement oublié. Robert Merton a pu poursuivre une brillante carrière universitaire, d'abord à Harvard puis au Massachusetts Institute of Technology. Malgré sa déconvenue, Meriwether a créé depuis plusieurs hedge funds ! Seuls les clients de LTCM ont laissé leur chemise dans l'affaire.

Cette mésaventure était pourtant une répétition générale de la crise des subprimes survenue une décennie plus tard.

Lors de mon premier séjour londonien entre 1979 et 1981, la City était toujours imprégnée du dilettantisme éclairé dominant dans la haute éducation britannique. On allait à l'université pour se cultiver, pas pour acquérir un métier. À Cambridge ou à Oxford, même si l'on voulait devenir banquier, on étudiait le grec, le latin ou l'art chinois... Si on faisait des études scientifiques ou économiques, c'était d'abord par amour de la recherche. Résultat : rien n'était plus enraciné dans la City d'antan que la passion des idées et l'art du débat public.

À mon retour à Londres, en 1985, les filières des écoles de commerce avaient pris le dessus. Dans la foulée de la déréglementation, de la révolution technologique et de l'arrivée des géants bancaires américains, les spécialistes avaient chassé les généralistes du Temple.

Dans la foulée de la crise, les généralistes n'ont pas fait le retour attendu sur le devant de la scène. En réalité, les ordinateurs ont pris le pouvoir. Et ils ne sont pas près de le rendre !

12.

L'éclat terni de l'or

L'or m'a toujours fasciné. Question d'abord de
gènes familiaux. Après la guerre, mon père avait été
brièvement apprenti négociant en métaux précieux
avant de se lancer sans grand succès dans la fabrication de pull-overs. Quand l'argent manquait ou qu'il
se faisait gruger par des associés malhonnêtes, « mon
vieux » me parlait souvent de ce que notre vie aurait
pu être s'il était resté dans le commerce des pièces
et des lingots.

Né en 1922 en Pologne, installé à Anvers deux ans
plus tard, le paternel s'était réfugié en Suisse entre 1943
et 1945. Comme tous les gens de sa génération, il me
parlait souvent de la guerre, des persécutions, de la
collaboration. Il avait réussi à gagner la Suisse. Il m'avait
raconté ces rumeurs courant à Genève selon lesquelles
les coffres des banques privées locales contenaient l'or
nazi volé, notamment celui des victimes de la Shoah. En
1997, j'avais couvert le rôle des banques britanniques,
également sur la sellette, dans cette sombre histoire à
la suite de la publication des archives américaines. J'en
avais gardé un souvenir durable.

144

En 1971, j'allais entrer dans ma troisième année d'économie à l'université de Bruxelles. Je cherchais un sujet de travail de fin d'études. Je m'étais particulièrement intéressé aux mécanismes de l'étalon-or en étudiant le rôle de la monnaie dans la formation des prix. Patatras, le 15 août, les États-Unis avaient unilatéralement suspendu la convertibilité du dollar en or ! Un an plus tard, la Grande-Bretagne avait cassé la parité de la livre, tandis que celle du franc avec le métal jaune disparaissait dans la foulée. Puisque le fameux dicton « Il n'est de bonne monnaie que d'or » était désormais éculé, j'avais dû changer le thème de ma thèse. J'ai finalement choisi l'analyse économique du Programme commun de gouvernement du Parti communiste français et du Parti socialiste conclu en juin 1972, à des années-lumière de cet or qui me fascinait.

La débandade de l'or dans les années soixante-dix n'avait pas empêché par la suite la hausse de la production et de la consommation du métal précieux. En dépit de ces remous, le cycle historique de trois millénaires durant lequel, dans un décor où passent tour à tour les rois mages, les conquistadores, les aventuriers du Klondike et le général de Gaulle, partisan d'un retour à l'étalon-or, s'était poursuivi comme si de rien n'était. Loin d'être condamné aux oubliettes, la barre d'or de 25,5 cm de large et 4 cm d'épaisseur et le lingot de 1 kilo restaient synonymes de puissance et de gloire. Comme disait Diderot, fidèle au mythe éclatant, dans *Le Neveu de Rameau* : « L'or est tout, et le reste, sans or, n'est rien. »

L'expérience inoubliable d'un reportage effectué en 1996 aux tréfonds de la mine sud-africaine de Western

Deep Levels, à l'époque la plus profonde au monde, avait conforté ma passion.

La cage grillagée de quatre heures trente du matin file à grande vitesse dans le silence des ténèbres. Le calme glissement se transforme progressivement en vacarme métallique. La poussière prend à la gorge. Une odeur de transpiration envahit la benne. Les pupilles se rétrécissent. Les lèvres sont sèches comme du carton. La pression est très forte.

Niveau 3 200 mètres sous le niveau de la mer. Terminus. La galerie débouche sur une cavité dans laquelle on descend au moyen d'une nacelle suspendue à des câbles d'acier et tractée par une poulie électrique jusqu'à la cote 3777, record Guinness de profondeur pour un lieu de travail. La pression est énorme.

J'interviewe Moshia Mosiug qui, accroupi dans un boyau d'un mètre de hauteur, perce au marteau-piqueur la roche de quartz gris-noir délimitée à la peinture rouge. Les cercles de lumière de sa lampe frontale trouent l'obscurité comme des projecteurs de la DCA dans de vieux films en noir et blanc. Il faut hurler pour se faire entendre en raison du fracas causé par un immense tunnelier creusant un puits à proximité.

Natif du Lesotho, royaume pauvre enclavé dans la République sud-africaine, le migrant, petit, svelte, sans un gramme de graisse, passe huit heures quarante-cinq minutes au fond de la mine, un véritable travail de forçat effectué sans pause. Il faut dégager de ce sous-sol béni des dieux une tonne de rochers pour extraire sept grammes d'or. Le métal jaune reste toutefois une Arlésienne pour Moshia. Il n'a jamais vu à quoi peut ressembler un lingot pur à 99,99 %, sauf en photo : celle placardée à l'entrée de la salle des douches.

146

Notre économie demeure cousue d'or. Les sommes en jeu sont extravagantes. Le marché de ce métal, précieux entre tous, « pèse » 19 600 milliards de dollars par an. Les revenus des compagnies minières, des raffineries spécialisées, des propriétaires de hangars et de coffres-forts dépendent du prix journalier de l'once d'or. Les interventions des banques centrales qui conservent une partie de leurs avoirs en or – signe de souveraineté monétaire et de marque d'indépendance – sont également liées à ce symbole de prospérité.

Par ailleurs, le cours du métal jaune joue un rôle clé dans la composition du panier de la ménagère[1], instrument de mesure de l'inflation. Il participe au calcul des prix des biens alimentaires, des transports, du chauffage, des frais médicaux, des loisirs... En effet, le prix de l'once de métal jaune influence directement le prix des bijoux mais aussi celui des applications industrielles dans la dentisterie, l'électronique des téléphones portables, les ordinateurs ou la métallurgie.

De plus, l'épargnant comme l'investisseur institutionnel gardent les yeux de Chimène pour ce placement inaltérable, anonyme, invisible et apatride qui représente une assurance contre toutes sortes de risques. L'or sert toujours d'actif de protection contre les incertitudes macroéconomiques (en particulier l'inflation et le cours du dollar américain) ou géopolitiques. La « relique barbare », comme l'avait qualifiée à tort l'économiste John Maynard Keynes, son ennemi juré, a conservé son rôle particulier d'instrument de compte,

---

1. Un échantillon de ce que les consommateurs achètent pour satisfaire des besoins précis pendant une période de temps donnée. Il s'agit de produits élémentaires.

d'intermédiaire d'échange et d'objet de thésaurisation. Les plus célèbres prédateurs du globe – les George Soros, John Paulson ou Warren Buffett – portent aux nues cet investissement permettant de diversifier un portefeuille d'actifs.

Mais l'éclat de l'or s'est terni. Le métal jaune est aujourd'hui tombé de son piédestal. Le processus de fixation du prix de l'once d'or est dans l'œil du cyclone. Les cours de cette matière première devenue marchandise seraient manipulés par un cartel informel de banques. La balise de ce marché mondialisé, actif vingt-quatre heures sur vingt-quatre sur chaque fuseau horaire, serait truquée.

Aux États-Unis et en Europe, les régulateurs ont ouvert une enquête sur de possibles malversations impliquant le prix de l'or et de l'argent. Cette mesure s'inscrit dans le cadre plus général de la réforme des grands indices de marché, comme le pétrole, le taux interbancaire ou les cours du change. Le renforcement de la réglementation financière opéré depuis 2013 vise à mettre un terme aux abus d'un système jusque-là autorégulé. Il y avait urgence à faire rentrer dans le rang ces électrons libres, au vu des graves lacunes qu'une série de scandales retentissants a mis en exergue.

Pour comprendre ce qui s'est passé, une remontée dans le temps, au lendemain de la Première Guerre mondiale, s'impose.

Le London Gold Fixing, la cérémonie de fixation du cours de l'or, a été organisé en septembre 1919. Les vainqueurs de la Première Guerre mondiale sont désireux de stabiliser le prix du métal jaune auquel est alors liée la parité de leur monnaie. À cet effet, un comité composé des cinq plus grosses banques de la City en vue de calculer les deux prix fixes quotidiens de l'once de métal jaune est créé. Ex-courtier aurifère de la Banque d'Angleterre dont l'or a permis la victoire des Anglais contre Napoléon à Waterloo en 1815, la maison N. M. Rothschild & Sons préside et accueille dans ses murs les réunions journalières du Gold Fixing. Réunis dans une petite salle au décor ancien où trônaient gravures, tableaux et bibelots nichée au troisième étage de l'établissement de St. Swithin's Lane, les cinq représentants sont assis derrière de somptueux pupitres sur lesquels trônent un téléphone à cadran et un petit drapeau anglais. Les participants sont en contact téléphonique avec leur salle de marchés.

Le président annonce un prix de départ établi à partir des ordres d'achat et de vente enregistrés pendant la nuit ou en début de matinée. Résultant d'une part de l'offre et de la demande physiques, de l'autre de la demande spéculative, le prix est ensuite transmis aux clients. Quand le cours est fixé, les gentlemen renversent les petits drapeaux aux couleurs franches de l'Union Jack. Le chiffre est écrit sur un petit carré de bristol beige à l'enseigne de la dynastie Rothschild destiné aux archives de cette légendaire institution.

À l'époque, le fixing fonctionne selon le bon vieux principe de la City : « My word is my bond » (Ma parole vous sert de garantie).

Mais en 2004, l'une des coutumes les plus anciennes de la City est abandonnée. Président de N. M. Rothschild, David de Rothschild profite du départ à la retraite de son illustre cousin anglais, sir Evelyn, protecteur de la tradition familiale, pour se débarrasser de cette vénérable institution. Souhaitant imposer sa marque sur la maison anglaise, il a tranché : le chiffre d'affaires du négoce de l'or est devenu insignifiant, comparé aux revenus de la banque d'affaires et de gestion de patrimoine. Par ailleurs, le marché aurifère est dominé par les opérations de couverture à terme des grandes compagnies minières, un secteur jugé trop risqué en raison de la spéculation et du volume de capitaux en jeu.

Désormais, le fixing de l'or se fera électroniquement. Et c'est là que naissent les problèmes.

Le système d'autoréglementation gouvernant l'or craque par toutes ses coutures. Les cinq grandes banques[1] en charge de l'opération déterminent la méthodologie sans avoir à rendre de comptes à personne. Les conflits d'intérêts menacent ce petit « club » à la fois juge et partie. Les données dignes de foi sur l'ampleur du négoce de l'or, physique comme spéculatif, sont rares.

C'est pourquoi, devant les tribunaux américains, des investisseurs américains ont accusé de collusion « la bande des cinq ». Le fonctionnement de ce maillon incontournable du commerce international est influencé par des intervenants de l'ombre. De vils spéculateurs, affirment les plaignants.

Une série d'affaires récentes a éveillé les soupçons de manipulation des cours. Les présomptions ont été renforcées par une étude de Rosa Abrantes-Metz, professeur à l'école de commerce de la New York University. En examinant l'évolution des cours de l'or entre 2001 et 2013, elle a mis en évidence des

---

1. Bank of Nova Scotia, Société Générale, Deutsche Bank, HSBC et Barclays.

mouvements inexpliqués à la baisse « trop fréquents et trop importants pour relever du simple hasard ». Son investigation porte en particulier sur le fixing de l'après-midi à Londres, très influencé par les transactions matinales de New York, l'autre centre de négoce des matières premières.

Dans le Landerneau financier new-yorkais, l'auteure est une star. En 2008, elle avait mis au jour le scandale de la falsification du taux interbancaire londonien Libor, mais il a fallu attendre l'été 2012 pour que l'affaire éclate.

Il est en effet déroutant de savoir qu'un petit nombre d'intervenants, en l'absence de la moindre supervision, puissent fixer entre eux le prix de l'or alors qu'ils ont d'autres intérêts potentiellement conflictuels. Tout en participant à la détermination du cours de l'once, les cinq peuvent passer ordres de vente et d'achat ni vu ni connu. La gamme très étendue des produits financiers basés sur l'or multiplie les sources de gains potentiels.

C'est pourquoi la nomination d'un administrateur indépendant, au-dessus de la mêlée, qui serait chargé de faire tourner la machine du fixing serait une bonne chose.

Les soubresauts du marché de l'or ont aussi braqué les projecteurs sur l'émirat de Dubaï, véritable boîte noire du commerce de l'or. Le Dubaï Multi Commodities Centre, le centre du négoce des métaux de l'émirat, contrôle aujourd'hui 20 % des transactions mondiales du métal jaune.

Sorti de terre en 2002, ce gigantesque complexe regroupant des usines d'affinage, des fabricants de bijoux, des compagnies d'import-export, des grossistes et une Bourse à terme, a fait de la cité-État nichée sur la rive ouest du golfe Persique le pôle incontournable du marché mondial du métal jaune. Cette institution est le carrefour névralgique du commerce entre les producteurs africains et les consommateurs des pays du Golfe, du sous-continent indien ou de Chine, friands de joaillerie, de pièces et de lingots. Le marché est considéré comme l'une des plus belles réussites de Dubaï Inc., une entreprise familiale dirigée d'une main de fer par l'émir, Cheikh Mohamed Ben Rachid al-Maktoum.

Dans la perspective de l'épuisement des réserves pétrolières et ne voulant pas dépendre de son partenaire d'Abu Dhabi, dont la rente d'hydrocarbures semble éternelle, le souverain a développé les atouts touristiques, maritimes et surtout financiers de ce petit royaume de 1,5 million d'habitants. Rien n'est trop beau ni trop cher pour offrir une belle vitrine, celle d'un monde arabe moderne et industrieux. Selon la vulgate, le dixième représentant de la dynastie bédouine des Maktoum aurait lancé l'idée d'une cité de l'or à cause de *Goldfinger*, son James Bond préféré.

Dans les faits, Dubaï est une véritable passoire. Les entrées et sorties d'or sont totalement libres. Les grossistes échappent à toute réglementation. Il n'existe pas d'adresses, seulement des boîtes postales, ce qui autorise, sans trop de difficultés, toutes les dissimulations. L'obtention d'une licence de négociant auprès du ministère de l'Économie local est une simple formalité. Il faut ajouter à cette situation les lacunes de la législation comptable, l'absence d'une vraie Bourse et une certaine opacité des comptes publics.

L'ambiguïté de la structure fédérale des Émirats arabes unis, dont Dubaï est l'un des sept membres, n'arrange pas les choses. La banque centrale d'Abu Dhabi, la capitale fédérale des sept territoires composant la fédération, est responsable de la supervision de l'ensemble de l'activité financière de Dubaï. En réalité, le centre aurifère échappe à tout contrôle de la part de l'institut d'émission, qui ne dispose pas des moyens humains et matériels à la hauteur de sa tâche réglementaire. La justice d'Abu Dhabi est sous-équipée pour examiner les commissions rogatoires internationales touchant des négociants locaux. Le filtre de la confidentialité fonctionne à merveille. Choisi personnellement par Son Altesse royale, le régulateur local fait de la figuration, fermant les yeux sur ce qui se passe vraiment dans la cité de l'or.

Début 2014, une organisation activiste, Global Witness, a accusé, preuves à l'appui, le raffineur Kaloti Jewellery International, l'une des sociétés phares du Dubaï Multi Commodities Centre, d'avoir acheté les yeux fermés de l'or provenant de la République démocratique du Congo. Le plus grand raffineur de métal jaune du Proche-Orient n'avait pas rapporté la transaction, visiblement suspecte, aux autorités de l'émirat. Par ailleurs, la compagnie avait accepté des lingots provenant du Maroc, dotés de documents d'authentification grossièrement falsifiés. La firme avait accepté des paiements en cash d'une valeur de 5,2 milliards de dollars. Ça en fait, des valises de billets verts...

Quant au régulateur faiblard, il n'avait pas levé le petit doigt. Les autorités s'étaient retranchées derrière l'auditeur de Kaloti, Ernst & Young, qui avait enterré le dossier afin de ne pas embarrasser l'émirat où il compte de nombreux clients.

Le Moyen-Orient, avec ses coutumes exotiques, son indépendance farouche et ses experts en dissimulations, résiste décidément bien aux vertueuses proclamations de l'Occident !

13.

Le pouvoir des hommes en gris

Je dois faire mon coming out : j'ai toujours préféré les mots aux équations. Pour me sortir de ce guêpier, je me repose sur mes confrères des agences de presse financières Bloomberg et Reuters qui sont payés pour cela. *Nobody is perfect.*

C'est sans doute pourquoi je ne me suis jamais vraiment intéressé aux cabinets d'audit. Deloitte, PwC, EY[1] et KPMG... comme dans *Les Trois Mousquetaires*, ils sont quatre et le public ignore leurs noms. Leurs P-DG, qui fuient les plateaux de télévision, sont inconnus au bataillon des vedettes de la City. Je ne sais rien d'eux. Je ne les croise jamais dans la cohue au bar de l'Opéra de Covent Garden ou sur l'impeccable gazon de Glyndebourne. On ne les voit pas poser avec femme et enfants dans les magazines, ni dégoulinant de sueur dans un marathon caritatif. Ils n'ont ni l'aura des banquiers d'affaires perpétuellement entre coups financiers et conseils d'administration aux quatre coins du monde, ni l'allure des avocats d'affaires, le pied sur la pédale-compteur des honoraires. Ces praticiens gouvernant

---

1. PwC : Pricewater house Coopers ; EY : Ernst & Young.

des partenariats privés ne sont suivis ni par les analyses des banques ni par les journalistes financiers. Ils sont invisibles. Quel privilège !

L'image de la confrérie est peu flatteuse. Ces braves soldats de l'univers du chiffre, gris et compassé, apparaissent en inadéquation permanente avec ce monde économique glamour qu'ils auscultent constamment.

Reste qu'au-delà de la technicité de son travail, l'auditeur est le personnage pivot du capitalisme moderne. C'est un messager entre d'une part les compagnies dont il scrute les comptes et d'autre part les investisseurs dont les placements reposent sur la fiabilité des écritures comptables. Contrôler la véracité des données, évaluer les perspectives en matière de profits ou de parts de marché, préparer les documents réclamés par les autorités boursières et le régulateur, régler le volet fiscal, informer les actionnaires et les employés : la feuille de route d'un commissaire aux comptes est une tâche à la fois fastidieuse et essentielle. Au basket, ce seraient la troisième et la dernière ligne de défense, après le management et les contrôleurs de risque.

Le poids du quatuor est énorme. Deloitte, PwC, Ernst & Young et KPMG sont responsables à eux seuls des comptes de la totalité des firmes qui constituent l'indice FTSE[1] 100 des cent plus grosses capitalisations de la Bourse de Londres. Il en est de même aux États-Unis. Par facilité, les sociétés industrielles comme financières n'aiment pas changer d'auditeur. Vu le ticket d'entrée exorbitant, les petits et moyens cabinets n'ont jamais pu se faire une place au soleil.

---

1. Financial Times Stock Exchange.

Nos scribes ne sont pas seulement garants de l'authenticité des écritures. L'audit n'est qu'un produit d'appel pour les Big Four qui proposent aux entreprises leur savoir-faire en stratégie, en réorganisation et en informatique. Ils ont l'oreille des P-DG et prêtent des fonds aux petites et moyennes entreprises. S'il est désormais interdit aux firmes d'audit opérant aux États-Unis de vendre des services de conseil aux compagnies dont elles vérifient les comptes, ces dernières sont libres de le faire dans le reste du monde.

La rente de situation dont bénéficie l'oligopole des commissaires aux comptes a été renforcée par la crise de 2008. En effet, la profession a échappé au retour de manivelle réglementaire qui a frappé les autres intervenants financiers.

Pourtant, ce maillon essentiel de la chaîne de confiance porte une lourde part de responsabilité dans la tourmente des crédits subprimes. Les auditeurs ont passé sous silence l'endettement colossal dans la valorisation des actifs des banques clientes. Ils n'ont pas jugé bon de faire part aux autorités de leurs soupçons éventuels sur l'ampleur des risques prudentiels. C'est d'ailleurs au même quatuor de professionnels que les gouvernements ont fait appel en 2008 pour organiser une liquidation ordonnée des banques en faillite ou sortir de l'ornière les établissements en difficulté. Les autorités, il est vrai, n'avaient guère le choix !

La liquidation de Lehman Brothers souligne ce paradoxe.

Le 13 septembre 2008 au soir, alors qu'il dîne en famille dans un restaurant chinois de la banlieue de Londres, Tony Lomas, spécialiste des faillites au cabinet d'audit PwC, reçoit un appel du conseiller juridique de

Lehman Brothers International Europe, lui demandant s'il serait disponible pour s'occuper, le cas échéant, de la faillite du pôle européen installé à Londres. Lomas s'était fait connaître en réglant les banqueroutes d'Enron Europe, de MG Rover et du magnat des médias, Robert Maxwell. Le 15 septembre, à sept heures cinquante-six de Londres, la faillite est officielle. À l'ouverture de la Bourse, Lomas obtient d'un juge londonien la protection légale nécessaire pour occuper les lieux.

Quelques jours après la chute de Lehman, le vieux briscard de la liquidation me reçoit au dix-septième étage du siège de la défunte filiale pour évoquer l'incroyable bric-à-brac d'un bilan qui ne représente en rien la photographie du patrimoine. Mais lorsque je mentionne Ernst & Young, l'auditeur de Lehman, banque soupçonnée d'avoir négligé d'éventuelles manipulations comptables et des opérations secrètes hors bilan, mon interlocuteur a soudain des fourmis dans les jambes et me plante là avec mes questions. Cinq ans plus tard, fin 2013, au terme d'une longue procédure judiciaire, Ernst & Young a finalement accepté d'indemniser les investisseurs de Lehman.

Lehman, AIG, Bear Stearns, Dexia, Bank of Scotland… les auditeurs ont été mêlés aux plus grandes défaillances causées par la crise des subprimes. En ont-ils tiré les leçons ? Apparemment non, à voir la série noire de scandales intervenus après 2008.

La controverse sur le rachat, en 2011, de l'éditeur de logiciels britannique Autonomy par Hewlett-Packard pour 11 milliards de dollars payés rubis sur l'ongle, en est le meilleur exemple. L'acquéreur américain affirme que le management d'Autonomy avait dissimulé un trou géant dans le bilan 2010 par le truchement d'acrobaties comptables. Le nouveau propriétaire avait été contraint de provisionner... 5 milliards de dollars !

Le P-DG fondateur de la firme anglaise portait James Bond aux nues. L'entrepreneur, qui roulait en Aston Martin, ne cessait de mentionner les exploits de 007 dans ses discours et ses présentations. En l'honneur de l'agent secret de Sa Majesté, il avait même installé un aquarium plein de piranhas à l'entrée du siège de sa compagnie basée à Cambridge.

Mais là s'arrêtait la comparaison. Si le personnage de Ian Fleming était charmeur, l'homme était un grossier tyran. L'affairiste pressé déployant son inénarrable numéro de vendeur n'hésitait pas à humilier ses collaborateurs, traités de tous les noms devant clients et fournisseurs. Surtout, ce véritable esclavagiste de la high-tech était passé maître dans l'habillage des comptes. Pour accroître fictivement son chiffre d'affaires et simuler une augmentation temporaire du cash, le magicien incluait par exemple... les ventes potentielles. Les analystes qui s'inquiétaient du « lissage » des comptes étaient persona non grata lors de la présentation des résultats. Le grand homme était un ami proche de l'associé chef du bureau Deloitte à Cambridge, responsable de l'audit des comptes d'Autonomy. Ils fréquentaient les mêmes cercles sociaux et professionnels de la petite ville universitaire.

L'affaire Autonomy, dans laquelle les quatre auditeurs ont été parties prenantes, est symptomatique de leur emprise sur la vie des affaires transatlantiques. Autonomy est client de Deloitte. KPMG a conseillé le vendeur dans cette transaction spécifique, tandis qu'Ernst & Young est au service de l'acheteur. Pour sa part, PwC s'est vu confier l'enquête sur les pratiques comptables qui auraient été utilisées pour gonfler la valeur des actifs de sa compagnie. Formidable spectacle que celui de ces professionnels du chiffre qui se tiennent par la barbichette.

Le scandale Autonomy n'est malheureusement pas isolé, au contraire.

En janvier 2012, PwC a été condamné à une lourde amende pour laxisme dans l'examen des opérations de la filiale de courtage britannique de la banque américaine JPMorgan, encore elle ! Les pots-de-vin versés à des policiers véreux en échange d'informations par des journalistes de *News of the World* ? Ils ont eux aussi échappé à l'attention d'Ernst & Young, l'auditeur de News Corporation, le groupe de médias contrôlé par Rupert Murdoch. Ernst & Young a également approuvé sans ciller les comptes falsifiés de l'Anglo Irish Bank dont l'effondrement avait obligé Dublin à voler au secours de ses banques, ce qui avait contraint le pays à solliciter une aide internationale en 2011. De son côté, Deloitte s'est retrouvé impliqué dans la violation des sanctions américaines contre l'Iran par son client, la banque britannique d'outre-mer Standard Chartered. Pour couronner le tout, en 2013, l'un des principaux associés de KPMG a été reconnu coupable de délit d'initié pour avoir vendu des informations confidentielles de clients à un ami qui avait utilisé ces tuyaux pour spéculer en Bourse.

La litanie de scandales donne d'autant plus le tournis qu'après la banqueroute frauduleuse en 2001 du courtier en énergie Enron, la plus grosse faillite de l'histoire américaine, et la disparition du cabinet comptable Arthur Andersen, on aurait pu espérer des auditeurs qu'ils rentrent dans les clous. Il n'en a malheureusement rien été.

Transporteur de gaz naturel au départ, la jeune compagnie texane avait recruté le prestigieux cabinet d'audit Arthur Andersen, numéro un mondial du secteur. Comme dans les villages Potemkine en trompe-l'œil construits en Russie au XVIIIe siècle pour masquer la pauvreté, Enron n'était qu'un leurre. Croulant sous un endettement dissimulé via des artifices comptables frauduleux, la compagnie s'était effondrée comme un château de cartes.

Arthur Andersen avait falsifié le bilan de la société pour la rendre plus présentable aux analystes. Les chiffres avaient été truqués comme des vulgaires roulettes dans un tripot clandestin. Les deux associés responsables de l'audit avaient de surcroît détruit des documents compromettants. Le commissaire aux comptes ? Il avait sombré corps et biens !

Pas de doute là-dessus, dans la chaîne de responsabilité de la longue liste des affaires, les auditeurs sont souvent aux premières loges. Cependant, à l'exception du cabinet escroc Andersen, disparu corps et biens avec son client Enron, ces institutions clés du système capitaliste ont échappé à toute sanction digne de ce nom.

La raison ? L'esprit de corps de cette honorable corporation – on n'ose pas dire secte – fait des merveilles.

La faillite de la BCCI (Bank of Credit and Commerce International) en est le meilleur exemple. Drogue, politique, terrorisme, corruption : l'affaire, qui avait éclaté à Londres le 5 juillet 1991, avait pris une dimension planétaire. La « BCCI Connection » tissée par cette banque fondée au Pakistan, dont l'actionnaire majoritaire était l'émir d'Abu Dhabi, avait éclaboussé les milieux dirigeants des États-Unis, de Grande-Bretagne et des pays du Golfe. Au cœur d'une fraude à grande échelle, de manipulations comptables criminelles et de blanchiment d'argent sale, la septième banque privée au monde, présente dans soixante-dix-huit pays, a été définitivement liquidée en 2013.

Un an avant, j'avais interviewé un partenaire associé du bureau comptable britannique Touche Ross[1] chargé de démêler l'écheveau de ce qui avait été à l'époque le plus grand scandale de l'histoire de la City. « La BCCI est un puzzle gigantesque, avec des milliers de pièces dont nous n'avons pas le modèle reproduit sur la boîte d'emballage. » Mais comme ce fut le cas avec Tony Lomas seize ans plus tard, à l'évocation de la négligence du cabinet Price Waterhouse[2] chargé de l'audit des comptes de la BCCI, mon interlocuteur s'était fermé comme une huître. Il aurait sans doute fait comme son collègue, paraphant sans ciller les comptes de ce genre de forbans !

Reconnu coupable de conspiration pour avoir fermé les yeux sur les innombrables opérations frauduleuses de cette banque sulfureuse, Price Waterhouse avait été condamnée pour solde de tout compte... à une légère amende.

Outre un oligopole tissé en mailles serrées, le club des auditeurs détient un autre atout de taille pour imposer sa volonté : un vaste réseau d'influence, bien réel mais invisible. Les Big Four ont mis la main sur une kyrielle d'anciens ministres et d'ex-hauts fonctionnaires au carnet d'adresses dodu chargés de leur

1. Aujourd'hui Deloitte Touche Tohmatsu.
2. Aujourd'hui PwC.

ouvrir des portes. Les commissaires aux comptes sont d'importants donateurs aux partis politiques des deux côtés de l'Atlantique. Mais à l'inverse des banques, l'opération de débauchage peut se faire dans le plus grand secret. Dans une structure partenariale, il n'y a pas de comptes à rendre à l'extérieur, seulement aux associés responsables des résultats sur leurs propres biens. Dans un tel contexte, cacher l'identité des conseillers de l'ombre est un jeu d'enfant.

Cet entregent aide le lobby comptable à torpiller bon nombre de réglementations préjudiciables à ses intérêts. Ainsi, à la suite des pressions, la nouvelle loi américaine de régulation financière Dodd-Frank ne couvre pas les bureaux d'audit. En Europe, la bande des quatre n'a pas eu son pareil pour atténuer le projet de directive de la Commission européenne prévoyant la rotation obligatoire des activités de conseil. Le secteur a su tirer profit à bon escient du soutien du gouvernement de Londres pour faire capoter les initiatives les plus draconiennes de Bruxelles. Car même s'il a été formalisé aux États-Unis, l'audit a vu le jour au Royaume-Uni pour tenir les comptes du commerce avec l'Empire. C'est l'un des derniers bijoux de la Couronne et le gouvernement de Sa Majesté entend le préserver.

De surcroît, cette profession méconnue est le rouage central de l'International Accounting Standards Board, l'IASB. Il s'agit d'une très discrète association à qui les autorités ont accordé un pouvoir considérable : édicter les normes comptables internationales en dehors des États-Unis[1].

---

1. Le Financial Accounting Standards Board (FASB) est chargé de définir les règles de contrôle aux États-Unis.

Si la plupart des grands scandales de ces dernières années ont exposé à la critique les auditeurs, ces lacunes sont d'autant plus inquiétantes que la bande des quatre peut représenter un risque potentiel majeur pour le système tout entier. Si l'un de ces géants devait faire soudain faillite, un quart des données sur des clients nécessaires au fonctionnement des marchés seraient immédiatement gelées. À l'inverse de ce qui s'était passé lors de la disparition d'Arthur Andersen en 2002, la mondialisation et l'interconnexion du monde des affaires pourraient créer demain un effet domino dévastateur.

La menace est d'autant plus sérieuse que les auditeurs n'ont pas d'égal pour faire sortir les risques du bilan d'une compagnie. L'ampleur et la sophistication des opérations comptables sont souvent destinées à brouiller les pistes. C'est la porte ouverte à tous les camouflages. Ces « disparitions » de certains actifs favorisent le recours à l'endettement.

Les auditeurs peuvent aussi choyer leurs clients en matière de rémunérations. Par exemple, ils n'ont pas leur pareil pour tirer profit de l'opacité du mode de calcul des bonus. En jouant avec les normes comptables, ils peuvent – aisément et en toute légalité – les regrouper dans la catégorie fourre-tout des « frais opérationnels ». En augmentant artificiellement les profits, ils peuvent augmenter les primes de fin d'année de la direction, ni vu ni connu.

La menace est d'autant plus patente que les avoirs en question peuvent être mis à l'abri dans un paradis fiscal. En moyenne, un bureau comptable possède une vingtaine de filiales dans des territoires off-shore.

Et qui dit off-shore dit évasion fiscale, pudiquement baptisée « optimisation fiscale ». Les grands cabinets aident alors les entreprises comme les riches particuliers à échapper aux taxes en conseillant leurs clients en toute légalité sur les meilleurs moyens de payer le moins d'impôts possible. Ils possèdent une connaissance précise des lois fiscales des zones d'opération dont ils peuvent identifier les failles. Le conflit d'intérêts est patent. En effet, dans de nombreux pays comme au Royaume-Uni, les Big Four encaissent de juteux honoraires en travaillant aux côtés du fisc pour réformer le code des impôts tout en « revendant » par la suite au plus cher les informations ainsi glanées à leurs clients.

Alors, faut-il auditer les auditeurs ?

14.

Genève, la fausse endormie

Les nombrilistes de la City et de Wall Street s'en consoleront-ils ? Je tiens Genève pour la « reine » du monde financier. Le choix de la sixième place financière au monde comme symbole est a priori surprenant. À l'exception de quelques palaces et des bijoutiers de luxe, la ville du bout du lac, morne et guindée, n'a pas le glamour de Londres ou de New York. Les magasins de chocolats et de couteaux de poche qui contribuent à l'image de la Suisse à l'étranger, la propreté des rues, les immeubles gris et sans charme, à l'exception des jardinières fleuries, les distributeurs non vandalisés de journaux en libre-service vous donnent une envie irrésistible de partir. La cité dégage un indicible ennui.

Cette impression de normalité s'est accentuée avec le ménage fait par la Confédération depuis la crise de 2008. La situation des Français qui détiennent des comptes non déclarés à l'étranger a été régularisée. Malgré quelques lacunes, l'accord conclu en 2011 entre le Royaume-Uni et la Suisse pour lutter contre l'évasion fiscale a fait ses preuves. Face à la menace de poursuites, voire de suspension de leurs activités aux États-Unis, les établissements suisses ont été obligés de renoncer au sacro-saint secret bancaire protégeant leurs clients qui fraudent le fisc américain. Et aujourd'hui, les banques genevoises refusent les fonds des « personnes politiquement exposées », exerçant ou ayant exercé une haute fonction publique, qui pourraient être impliquées dans des affaires de corruption.

De surcroît, la Suisse est allée plus loin que les États-Unis ou que l'Union européenne dans le relèvement des fonds propres et la baisse des niveaux d'endettement exigés des banques. Outre un gros effort de transparence, les établissements ont inventé un nouveau modèle visant à gérer les patrimoines des grosses fortunes dans une optique de protection des avoirs plutôt que d'évasion fiscale ou de blanchiment d'argent. Le produit d'appel n'est plus la discrétion, mais le savoir-faire financier de professionnels présumés compétents, utilisant des méthodes bien rodées.

À l'inverse de Wall Street, de la City ou des places émergentes asiatiques, Genève ne dégage pas cette éprouvante énergie traversée de rêves de richesse et de puissance. Jamais speed, la place ignore les passions et les excès des financiers londoniens ou new-yorkais. Elle offre en revanche sa qualité de vie, l'ouverture sur l'international et la bonne – et non usurpée – réputation helvète de gestion tranquille des richesses d'autrui. Qui dit mieux ?

Mon tropisme est sans doute lié au séjour de mon père qui s'était réfugié à Genève pendant la guerre. De nos jours encore, l'héritage de cette tolérance fait de la municipalité un haut lieu du cosmopolitisme et du pluriculturalisme. Genève a toujours été un lieu plus progressiste, plus ouvert sur le monde que la

Suisse alémanique. Pour preuve : lors de la votation du 9 février 2014, elle a massivement dit non à la réintroduction de quotas d'immigrés pour les citoyens de l'Union européenne, approuvée par le reste de la Confédération.

Quant aux fameuses banques privées genevoises, elles ne sont plus que l'ombre d'elles-mêmes. L'inertie des familles patriciennes, la pauvre technicité des opérations et le conservatisme ambiant cadrent mal avec le mouvement perpétuel de la finance d'aujourd'hui.

Comment expliquer, dans ces circonstances, le doute qui me saisit quand je flâne dans le quartier financier, entre la rue de la Corraterie, la place Neuve et le boulevard du Théâtre ? À contempler le soir le skyline des enseignes bancaires plus éclatantes les unes que les autres, il est évident que l'argent continue à couler à flots. J'ai comme l'impression que sur les rives du Rhône et du Léman, les discrets salons continuent quand même d'accueillir de drôles de clients. La nouvelle vertu financière vantée par les gnomes helvètes est une vue de l'esprit. Ainsi, dans le classement 2014 de l'ONG Tax Justice Network, la Suisse figure toujours en tête des pays les plus opaques au monde devant le Luxembourg, Hong Kong et les îles Caïmans. Ce n'est pas tout à fait un compliment. L'association a-t-elle pour autant raison ?

En 1994, j'avais interviewé Thierry Lombard, alors l'un des associés-gérants de la vénérable banque privée suisse Lombard-Odier fondée en 1798. « On a le tour de main d'un artisan dont les compétences se sont accrues de génération en génération », avait indiqué ce gardien des grandes fortunes. Pour le reste, le patricien n'avait pas été très loquace quand j'avais mentionné les torrents de fonds de dictateurs ou de grands voyous de tout acabit et de toutes nationalités qui affluaient alors dans les coffres genevois. L'article se terminait sur une note ironique : « Plus flegmatique qu'un banquier suisse, tu meurs... » Le lendemain de la publication, je recevais un coup de téléphone furieux de l'attachée de presse de la banque : « Et moi qui vous avais fait confiance. Le ton moqueur est inacceptable. Un journaliste suisse n'aurait jamais osé. » Je n'ai plus jamais été reçu chez Lombard-Odier.

La ville était alors un puits d'argent noir. C'était un endroit où la collusion entre le monde politique et les rouages du lobby bancaire était totale. Les contre-pouvoirs étaient absents ou inaudibles. À tous les étages, c'était motus et bouche cousue. Les rares banquiers et gestionnaires de fonds étrangers, principalement français et britanniques, qui acceptaient de me parler sous couverture d'anonymat évitaient les confidences en public.

Heureusement, on pouvait compter sur l'aide des infatigables croisés de la transparence, à l'exemple de l'écrivain Jean Ziegler ou de l'ancien procureur Yves Bertossa. Ces pourfendeurs de la fausse bonne conscience et de l'autosatisfaction des banquiers suisses, des comptes numérotés et du recyclage de l'argent sale ont eu le courage de cracher dans la fondue.

La trouble succession du banquier Edmond Safra, un résident genevois assassiné par l'un de ses infir-miers le 3 décembre 1999 à Monaco, symbolisait les dysfonctionnements d'une métropole qui lavait plus blanc que blanc. Son testament avait donné lieu à une impitoyable guerre familiale à la *Dallas*. À la tête d'un groupe bancaire au Brésil, Joseph, le frère d'Edmond, avait contesté les dernières volontés de la victime en faveur de sa veuve, Lily Safra. Peu avant le décès du banquier atteint de la maladie de Parkinson, elle avait vendu son empire financier au groupe britannique HSBC. Pour se venger de celle qu'il considérait comme une intrigante, Joseph avait ouvert sa propre banque privée en plein centre de Genève avec le nom Safra comme enseigne pour rafler la clientèle de son défunt frère. « Il n'y a jamais eu d'entente cordiale entre les frères d'Edmond et Mme Safra. Un manque d'atomes crochus, de sympathie. C'était une relation froide », m'avait confié l'avocat de Lily.

Dans le cadre de mon investigation sur la mort de son mari, j'avais sympathisé avec Dominick Dunne, le célèbre chroniqueur mondain du mensuel new-yorkais *Vanity Fair*. Mon flamboyant confrère vomissait Lily, la veuve Safra, qu'il considérait comme une croqueuse d'hommes qui avait enterré trois maris plus riches les uns que les autres, ce qui lui avait valu une réputation peu flatteuse de *gold digger* impénitente. Dunne croyait à une conspiration au plus haut niveau impliquant Lily Safra, le palais de Monaco et la mafia russe, cliente du banquier. Si le journaliste était remarquablement informé, son analyse, cette fois-là, relevait surtout de la pure hypothèse.

À la suite de la publication de mon article dans *Le Monde*[1], la dame avait envoyé au directeur du journal, Jean-Marie Colombani, une lettre dans laquelle elle s'en prenait « à un amas de ragots développés avec complaisance et inexactitudes (…). Suis-je trop riche pour éprouver une douleur sincère ? ». Avec le recul,

---

1. « La "veuve" contre le "Brésilien" », *Le Monde* du 3 mars 2000.

j'estime que nous avons eu de la chance de ne pas écoper d'un procès en diffamation. Heureusement, Lily Safra avait préféré tourner la page, trop occupée à s'imposer au sommet de la haute société londonienne pour se soucier d'un article grossier et injuste. À cette occasion précise, je dois faire mon mea culpa.

Genève est toujours un paradis mais ses bénéficiaires sont désormais les négociants en matières premières. La cité calviniste s'est réinventée en plaque tournante du commerce international de ressources naturelles. L'arc lémanique Genève-Lausanne comprend plus de quatre cents sociétés spécialisées dans l'énergie, les denrées ou les produits miniers, alors qu'une centaine d'autres firmes domiciliées en Suisse sont installées aux environs de Zurich et au Tessin[1]. Premier pourvoyeur en capitaux et en logistique du négoce, l'agglomération demeure une gigantesque pompe à argent.

Alors qu'elle joue un rôle clé dans l'approvisionnement des consommateurs, la profession du négoce cultive une discrétion obsessionnelle. La plupart des sociétés sont privées. Les quelques compagnies cotées en Bourse communiquent peu sur leurs activités. Les bilans et résultats de production ou financiers sont indéchiffrables. Les statistiques sont souvent tronquées.

Ce qui se trame en coulisse est mieux protégé que les secrets de la curie romaine. Et pour cause. Que ce

---

1. Tous les créneaux du marché sont représentés sur les bords du lac Léman et dans le canton de Vaud : conglomérats (Glencore ou Trafigura), experts en matières premières et en énergie (Vitol, Mercuria, Gunvor), ou en matières agricoles (Louis Dreyfus, Cargill, Bunge), ou encore officines d'opérations de trading physique des multinationales des hydrocarbures. En 2012, le négoce représentait environ 10 % du PIB de Genève.

soit l'or, le pétrole ou les métaux, qui dit commerce des matières premières dit aussi fonds suspects qui se mêlent à l'argent propre pour alimenter la suspicion de blanchiment et de trafic d'influence. Les sommes en jeu sont extravagantes. Les cheminements sont souterrains et les accointances politiques douteuses.

La raison en est simple : les ressources naturelles sont en général dans les pays les plus pauvres et les plus pourris de la Terre. L'affaire de l'octroi, en 2008, d'une partie de la concession de la mine de fer de Simandou, en Guinée, au diamantaire franco-israélien et résident genevois Beny Steinmetz en apporte la preuve. Immatriculée dans le paradis fiscal de Guernesey, sa filiale, BSG Resources, est la cible de deux procédures judiciaires aux États-Unis et en Suisse liées au dossier guinéen. Le FBI accuse l'homme le plus riche de l'État hébreu d'avoir versé, par le biais d'un intermédiaire, 8 millions de dollars à l'épouse du dictateur au pouvoir à l'époque, Lansana Touré, en vue d'obtenir les droits miniers. Les intéressés contestent formellement les faits mais il reste que le permis lui a été finalement retiré.

Trafigura est l'une des rares compagnies de négoce genevoise à avoir brisé l'omerta ambiante. À l'automne 2013, le groupe non coté, chapeauté par une holding néerlandaise immatriculée à Singapour et installée en Suisse, m'a entrouvert ses portes, un événement que j'attendais depuis des lustres.

Il a fallu être très patient. J'étais tombé sur le nom de son fondateur, le Français Claude Dauphin, lors d'une enquête en 2000 sur le trader Marc Rich, le plus grand dealer pétrolier de l'histoire. Décédé en 2013 à Lucerne, ce pirate des affaires avait violé les sanctions de l'ONU sabre au clair. Il avait acheté du pétrole à l'Iran des ayatollahs, alors que le pays était frappé d'embargo et sans se soucier des soixante-six employés de l'ambassade américaine pris en otage. La cargaison de brut acquise au rabais était aussitôt revendue aux prix du marché à l'Afrique du Sud en plein régime de l'apartheid et à Israël, deux pays boycottés par Téhéran. Ses liaisons dangereuses passaient également par l'URSS, Cuba et l'Angola.

Rich avait été le mentor de Claude Dauphin. Ce fils de ferrailleur est un trader autodidacte avenant, qui inspire confiance mais n'est pas très bavard. Il a fait sa fortune en Amérique du Sud et à Cuba dans le mystérieux commerce parallèle du pétrole.

En 1993, à la tête d'une poignée d'aventuriers, le *Rich Boy* se met à son propre compte en fondant Trafigura. La société fait partie aujourd'hui du tiercé de tête de la profession au côté de deux autres géants, Glencore et Vitol. Malgré l'entremise de plusieurs de ses proches contacts d'affaires, il avait toujours refusé de me rencontrer.

Chez ceux qui ont l'univers pour patrie, les rêves d'empire se terminent toujours mal.

La grave pollution occasionnée en 2006 autour d'Abidjan par le déversement sauvage des résidus pétroliers toxiques du navire-poubelle *Probo-Koala*, affrété par Trafigura, avait précipité Claude Dauphin sous les feux de la rampe, à la une de toute la presse internationale. Ce dernier avait été emprisonné avec deux associés à Abidjan pendant cinq mois sous l'inculpation d'empoisonnement. Le P-DG et ses acolytes avaient été libérés en échange de 152 millions d'euros d'indemnités aux victimes de la catastrophe.

Brisé par son incarcération, Claude Dauphin décide de tirer un trait sur son passé. En 2014, très malade, le fondateur a cédé les commandes à une nouvelle génération de cadres déterminés à transformer la pieuvre tentaculaire en une société normale. Trafigura est sorti (un peu) de l'ombre.

Ses bureaux ultramodernes sur les hauteurs de Genève dégagent une atmosphère empesée, froide, inquiétante, à peine atténuée par des toiles abstraites et colorées. Le cadre aseptisé contraste avec le bruit et la poussière de l'exploitation du pétrole et des métaux non ferreux, ses deux grands marchés. La compagnie organise le transport, le stockage, la transformation et la vente des ressources. La filiale genevoise est tapie au centre d'une toile d'araignée à l'échelle du globe d'où rayonnent tous les piliers du commerce international : pipelines, ports, silos, cuves, usines, frets maritimes et Bourses spécialisées.

L'activité manufacturière va de pair avec le trading physique qui consiste à marier l'offre et la demande. Par ailleurs, le négociant est de plain-pied dans la finance, pour se protéger contre les évolutions des cours, les fluctuations des prix de l'affrètement ou des taux de change. Les contrats à terme, les *futures*, sur les marchés organisés de Londres, de New York, de Chicago ou de Singapour, offrent cet outil de couverture. Trafigura dispose par exemple de son propre hedge fund, un fonds spéculatif spécialisé dans les placements dans le secteur minier.

Jeremy Weir, le successeur de Claude Dauphin, n'a rien du trader d'Épinal tel qu'on l'imagine généralement, râblé, rusé, roublard et retors. Cet ancien expert des métaux non ferreux chez N. M. Rothschild

& Sons a tout, vraiment tout, du premier de la classe. Il s'agit d'un homme de dossiers, cerveau clair et nerfs d'acier, capable d'écrire des notes limpides sur des sujets compliqués. Son ambition ne se réduit pas à acheter au plus bas pour vendre le plus cher. Weir est l'un de ces managers new-look pour qui faire du business avec des gens louches ne contredit en rien l'action humanitaire.

Trafigura possède d'ailleurs depuis 2007 une fondation en vue de financer des projets de développement durable, d'éducation, de réinsertion et de santé dans le tiers monde.

Le problème est qu'en Suisse le secteur du négoce n'est pas réglementé, au motif que cette industrie ne pose pas de risque systémique à l'économie nationale. Les autorités de Berne regimbent à mettre leur nez dans les affaires des traders, de peur de faire fuir ces structures très mobiles qui peuvent facilement se transférer sous des cieux plus cléments.

En outre, en cette ère du politiquement correct, les gouvernements ont parfois besoin de recourir à ces sociétés qui peuvent effectuer discrètement des missions secrètes pour leur compte. Ainsi, en septembre 2011, Londres avait fait appel au trader genevois Vitol pour ravitailler en carburant les rebelles en guerre contre le régime du colonel Kadhafi. Les responsables du canton ferment les yeux sur le recours extensif aux paradis fiscaux et aux artifices comptables en vue de brouiller les pistes. À Genève, l'une des activités économiques les plus rentables demeure à l'abri des regards.

Entre un équilibre ancien déjà rompu et un équilibre nouveau qui reste à inventer, Genève se cherche. Dans un monde où le secret bancaire n'est plus ce qu'il était, où la concurrence entre centres d'affaires est exacerbée par la mondialisation, elle doit se réinventer. L'avenir passe par la rupture brutale avec un passé pour le moins trouble.

15.

Laxisme et volupté dans la City

Roman Abramovitch prend sa place au premier rang de la loge présidentielle. Les gradins du stade de Stamford Bridge se mettent à gronder au son du *Kalinka, Kalinka.* Installé dans la tribune de presse, je braque mes jumelles sur la « Millenium Suite ». Même si c'est de loin, voir l'un des hommes les plus riches d'Angleterre est toujours fascinant. Le propriétaire sourit et se lève pour saluer timidement les supporters du Chelsea FC. Chemise col ouvert, le visage portant une barbe de quelques jours, petit et svelte, le plus célèbre des oligarques russes de Londres a l'air heureux et un sourire presque enfantin. Mais après cinq minutes, Theresa, le garde-chiourme du pack de journalistes, m'indique par une tape sur le bras que mon petit jeu doit cesser. L'un des sbires de celui qui a racheté la formation londonienne en 2003 m'a repéré et a alerté la salle de presse. En raison de son passé trouble et de sa fortune colossale, l'oligarque est obsédé par sa sécurité et celle des siens. On le serait à moins.

Par la suite, j'ai revu Roman Abramovitch au Chelsea Health Club. L'une de mes connaissances, banquier de

177

son état, m'avait invité au gymnase sélect du Chelsea FC, adjacent au stade. Ce supporter depuis l'enfance du club risquait gros. Il fait de belles affaires en Russie. Les journalistes sont persona non grata dans cette enceinte réservée aux happy few. Le propriétaire des lieux a la phobie des médias. Allié devant l'Éternel de Vladimir Poutine, Abramovitch sait que pour durer dans le monde des affaires russes, les stars doivent demeurer dans l'ombre. Le pauvre Mikhaïl Khodorkovski, ex-patron du groupe d'hydrocarbures Ioukos, a passé une décennie derrière les barreaux pour avoir osé défier le maître du Kremlin.

En entrouvrant les portes de l'empire du Chelsea FC, mon contact entendait se venger de la grossièreté des gardes du corps russes du magnat du pétrole, de l'aluminium et de l'acier qui lui avaient à plusieurs reprises bloqué l'entrée de la salle des poids et haltères quand leur patron s'y entraînait. J'ai pu voir un Abramovitch au regard fuyant s'époumonant sur un tapis roulant, entouré de cerbères baraqués aux lunettes noires, vêtus de costumes stricts mais au look cheap.

Enfin, il y eut le retentissant procès, en novembre 2011, devant la Haute Cour de Londres, intenté par son ancien associé, l'homme d'affaires et opposant russe Boris Berezovski. Pour la première fois, j'avais pu entendre la voix de Roman Abramovitch. Berezovski avait accusé son compatriote (et ex-protégé) de l'avoir contraint sous la menace à lui vendre au rabais sa participation dans la compagnie pétrolière Sibneft. Abramovitch ne parlait toujours pas anglais et son débit à la barre avait été hésitant, haché, ses fins de phrases incompréhensibles. Il s'était contenté de répondre invariablement « *Da* » (« Oui ») aux rafales de questions des avocats de la partie adverse. Débouté, Berezovski s'était finalement suicidé un peu plus tard à son domicile anglais, en mars 2013.

Trois « rencontres », si l'on peut dire, en plus d'une décennie. C'est beaucoup et peu à la fois. C'est beaucoup car l'oligarque, qui n'a jamais donné d'interviews, vit sur une planète coupée du commun des mortels.

Mais c'est trop peu pour entrer au cœur du système bankster qui est – aussi – l'un des rouages du capitalisme moderne. Car le procès a révélé des aspects jusqu'ici méconnus des méthodes de travail peu orthodoxes du personnage et de ses associés. Devant la Haute Cour, il fut question de croisières à bord de superyachts dans les Antilles, de manoirs des Mille et Une Nuits en France, de contrats mirobolants écrits sur des serviettes en papier, de tentatives d'assassinat par des gangsters tchétchènes, et de milliards de dollars blanchis dans des places off-shore. Sociétés écrans, connivences politiques, corruption ou évasion fiscale à grande échelle… À écouter les avocats de Berezovski, le parcours d'Abramovitch était digne d'un chef de la mafia russe, ce que celui-ci a toujours vivement contesté.

Le ministère britannique des Finances n'avait fait aucun commentaire à l'issue du verdict. Pourtant, il y avait de quoi dire. Londres n'avait jamais posé de questions sur l'origine des fonds utilisés par Abramovitch pour racheter Chelsea, l'un des fleurons de la Premier League. Aucune interrogation non plus quand le nouveau venu avait dépensé des centaines de millions de livres sterling pour recruter les meilleurs joueurs et managers au monde. L'oligarque, qui se défend d'avoir enfreint la loi, avait pu compter sur un vaste réseau de complices bienveillants, d'avocats et d'experts-comptables pour « habiller la mariée » !

Par ailleurs, Roman le magnifique peut se targuer d'avoir bâti un réseau d'influence puissant dans son pays d'accueil. Ce maillage serré repose sur le recrutement à prix d'or de stars du barreau. Bruce Buck, le président du Chelsea FC, est cofondateur du célèbre cabinet américain d'avocats Skadden, Arps, Slate, Meagher & Flom, principal conseiller juridique de l'entrepreneur russe. Et pour faire office auprès de lui de chambellan, Abramovitch s'est assuré les services de sir Michael Peat, rien de moins que l'ancien directeur de cabinet du prince Charles. Ce pilier de l'establishment est le meilleur sésame de la planète pour s'intégrer dans la vie mondaine d'outre-Manche, traditionnellement fermée aux nouveaux riches du « Londongrad ». Cette « Russian Connection » a pesé lourd sur la politique du Foreign Office visant à limiter la portée des sanctions européennes contre la Russie lors de l'annexion de la Crimée.

L'oligarque a pu profiter en toute quiétude du soutien amical des officiels britanniques à son égard. Et pour cause. Malgré le durcissement des lois anti-blanchiment dans la foulée des attentats du 11 septembre 2001, la City de Londres ne se montre guère regardante sur l'origine des capitaux venus du froid. Sur les bords de la Tamise, l'argent n'a pas d'odeur. Les fonds vont, viennent et virevoltent dans les coffres de la première place financière européenne.

Chaque vendredi, j'ai l'habitude de me rendre à Canary Wharf. Située sur les anciens docks de l'Est, la City bis est loin de mon domicile de Notting Hill.

Heureusement, la Central Line et la Jubilee line offrent la liaison par métro la plus rapide, la plus fréquente et surtout la plus régulière entre l'ouest de la ville et les trois pôles financiers, le West End de la banque privée et des hedge funds, la City historique et Canary Wharf. Ce Manhattan sur Tamise est un lieu démesuré, un chantier pharaonique où les plus belles enseignes de la finance défient, du haut de leurs tours de verre et d'acier de cinquante étages, leurs voisines. Pointillés sur la carte, terres au-delà du monde trivial, Canary Wharf est par excellence un monde à lui tout seul.

À la veille du week-end, les traders, en bras de chemise et cravate dénouée, une bière à la main, se relaxent sur une pelouse bondée. Dans ce décor de canaux et de bassins reliés entre eux par d'élégants petits ponts, on pourrait être en villégiature. Toute la gent financière, classe sociale bigarrée, joyeuse, tape-à-l'œil, caviardisée (et cocaïnomane à ses heures) est réunie dans les pubs et les bars où l'alcool coule à flots, ce qui délie les langues et aussi, plus tard, les mœurs.

Ce qui me fascine à Canary Wharf? Si l'anglais est la *lingua franca*, les accents sont français, russe, brésilien, scandinave ou chinois. C'est la preuve vivante que les étrangers, largement représentés aux plus hauts échelons de la City, se coulent facilement dans l'esprit maison. Ces immigrés d'un genre particulier sont tous bâtis sur le même modèle. De culture anglo-saxonne, maniant avec dextérité la langue de Shakespeare, ils connaissent parfaitement le mode de fonctionnement maison. Ils ont fait carrière et fortune dans des multinationales conquérantes, perpétuellement en déplacement à l'étranger pour explorer les marchés lointains. À l'ère de la mondialisation et de ses nouvelles boussoles, un cursus cosmopolite est indispensable pour faire carrière à Londres. À l'inverse de ce qui se passe dans le reste de l'Europe, la nationalité ne rentre jamais en ligne de compte dans le choix du meilleur candidat.

De Thatcher à Cameron, du Big Bang initié par la Dame de fer il y a près de trente ans à la crise de 2008, de la chute de Barings à la « Baleine », des bombes de l'IRA aux attentats islamistes de juillet 2005, en une génération, la City a bien changé. Une histoire féconde, riche en mutations. La révolution technologique, la dilution de l'autorité, l'égalisation sociale opérée par la diversité ou le goût d'entreprendre ont changé attitudes et modes de vie des seigneurs de l'argent.

Mais en dépit de ces bouleversements, le même labeur frénétique subsiste. Même si l'époque est réactionnaire au sens étymologique du terme, c'est-à-dire qu'elle s'efforce de revenir sur les années de permissivité financière et de retourner aux valeurs traditionnelles de bonne gestion patrimoniale et des risques maîtrisés, le goût de l'argent est toujours le moteur. Dans le grand jeu du vice et de la vertu, la place financière britannique reste fidèle à l'éloge de la cupidité et aux bonus fait par Gordon Gekko, le répugnant prédateur du film *Wall Street* d'Oliver Stone : « La faim est justifiée. La faim sous toutes ses formes, qu'il s'agisse de la vie, de l'argent, de l'amour, du savoir, a marqué le développement de l'humanité. » Ici, toutes les passions ont mauvaise presse, sauf justement celle des affaires.

Si la City se porte bien, ce n'est pas seulement en raison de la masse critique d'opérateurs, de l'avantage des fuseaux horaires, de l'utilisation de l'anglais ou d'un tropisme international. C'est aussi parce que la place dispose du plus vaste réseau de zones off-shore au monde.

N'y a-t-il pas là deux poids deux mesures ? D'un côté, officiellement, le royaume a placé la lutte contre l'évasion fiscale au cœur de sa politique économique. De l'autre, la City se repose sur ses anciennes ou présentes colonies « extra-territoriales » qui lui servent de rabatteurs de capitaux. J'ai posé la question au Premier ministre David Cameron en personne[1]. En effet, si des progrès ont été amorcés, en particulier en matière de punition des délinquants fiscaux, la City demeure une sorte de paradis méconnu. L'argent collecté à Gibraltar, à Jersey ou aux Bermudes ? Il est géré par les établissements financiers installés dans la capitale britannique. C'est grâce à ces centres de transit que la place a pu faire fructifier à son avantage les pétrodollars du Proche-Orient, ainsi que les fonds des oligarques russes, des armateurs grecs, des entrepreneurs indiens et chinois, ou, plus récemment, des nantis d'Europe du Sud fuyant la crise de l'euro.

« Ce n'est pas du tout le cas. Le Royaume-Uni a mis cette question à l'ordre du jour du G8[2]. Nous estimons qu'il y a une série de principes de transparence, d'échange d'informations que nous pouvons promouvoir au niveau du G8 comme du G20 tout en encourageant nos territoires d'outre-mer, dont nous avons la responsabilité, à les respecter eux aussi. » « C'est un bon agenda », avait répliqué, en me regardant droit dans les yeux, l'hôte du 10 Downing Street. Si ce n'est pas de la perfidie, serait-ce de l'hypocrisie, *Prime Minister* ?

---

1. *Le Monde* du 9 avril 2013.
2. Le G8 regroupe les nations les plus industrialisées plus la Russie.

Imaginons un homme d'affaires russe qui souhaite faire sortir d'urgence mais en toute discrétion des capitaux illicites de Russie pour échapper aux vicissitudes politiques et économiques provoquées par la situation en Ukraine. Transporter l'argent liquide est trop dangereux par les temps qui courent. Avec l'aide d'un avocat ou d'un cabinet comptable complices, l'un de ses banquiers moscovites lui monte une ou plusieurs sociétés immatriculées dans une zone off-shore britannique pour y transférer les fonds en question par virement électronique. Il peut s'agir d'un pays qu'affectionnent les grandes fortunes de l'ex-URSS (Chypre), ou d'une place exotique peu regardante (les îles Vierges britanniques, Turks-et-Caïcos, ou la Grenade). Pour faire entrer l'argent dans le système financier, le pécule transite sur les comptes d'hommes de paille ou de sociétés écrans dans ce petit paradis, pour terminer dans une succursale d'une banque ayant pignon sur rue dans la City. À Londres, les fonds sont recyclés dans des activités commerciales ordinaires pour être investis par exemple dans l'immobilier, les œuvres d'art, le commerce de détail ou l'import-export. Le statut privilégié sur mesure concocté par le fisc britannique pour attirer les grosses fortunes étrangères facilite la balade des fonds. Le tour est joué.

Surtout en ces temps de transparence officielle, le réseau des paradis fiscaux permet de conserver la manne financière à portée de main tout en évitant d'en assumer la responsabilité en cas de scandale.

Sans son immense réseau off-shore, le premier au monde, la City ne pourrait plus rivaliser avec New York, Hong Kong ou Dubaï qui lui mènent la vie dure. Dans ce jeu de l'oie planétaire, tous les coups sont permis. Pour sa part, la place de Londres a choisi de courir vers de nouveaux territoires alléchants mais ô combien risqués : le négoce international du yuan chinois et la finance islamique. Ce faisant, la capitale britannique a fait entrer le renard dans le poulailler : le *shadow banking*, le capitalisme opaque qui s'oppose au capitalisme réglementé. Ce pouvoir occulte qu'est la banque de l'ombre, le cœur du système bankster.

En Chine, l'ampleur de la sphère financière non régulée est sidérante. C'est un monstre dangereux. Car dans l'empire du Milieu, le contournement massif des règles par le « hors-bilan[1] » et les paradis fiscaux, la corruption endémique, l'absence de gouvernement d'entreprise digne de ce nom, de procédures de contrôle de risques adéquats ainsi que le sous-développement du cadre juridique et comptable, ont fini par représenter une bulle financière échappant à tout contrôle.

Les fonds en question proviennent de riches Chinois, de PME privées ou des collectivités locales qui entendent ainsi court-circuiter la faible rémunération de l'épargne et le coût élevé du crédit imposé par le pouvoir central aux banques officielles. Le problème est que les grands établissements publics participent tout aussi activement à ces échanges invisibles.

L'accord sino-britannique d'octobre 2013 a renforcé le rôle de Londres, premier marché des devises au monde, comme principale place internationale du négoce du yuan qui, théoriquement, n'est pas convertible. Surtout, les établissements bancaires chinois

---

1. Le recours à des instruments financiers n'impliquant pas la mobilisation d'actifs inscrits au bilan, qui peut finir par représenter une bulle financière échappant à tout contrôle.

peuvent désormais s'implanter au Royaume-Uni. Le gouvernement britannique a passé outre les réserves de sa propre autorité chargée de délivrer les licences bancaires quant aux liens opaques entre les institutions chinoises candidates à ouvrir une succursale et la finance de l'ombre. Même le *Financial Times*, pourtant peu suspect d'antipathie envers la City, a dénoncé les pressions exercées par le Trésor de Sa Majesté sur le régulateur, qui « créent un risque pour la stabilité en vue de courtiser le Dragon[1] ».

La City a donc accepté ce risque. Lequel ? Celui d'importer les maux de l'empire du Milieu en son sein. En raison de l'endettement excessif, de l'interconnection des marchés et de la mentalité moutonnière des acteurs qui agissent en meute, la faillite d'opérateurs en grand nombre au même moment peut faire imploser la planète financière chinoise. L'effet domino pourrait donc désormais, sur le papier, toucher la place boursière londonienne.

Un danger de plus sur la stabilité des marchés.

C'est également le cas de la finance islamique conforme aux principes de la charia dont la City rêve de devenir le pivot international.

Respecter strictement la loi divine interdisant de prêter de l'argent contre intérêts tout en déclinant une gamme de produits financiers offrant plus-value et rendement : telle est la feuille de route de la finance islamique. Car, en théorie, on ne plaisante pas avec la charia ! Il est interdit d'investir dans des compagnies

---

1. *Financial Times* du 13 octobre 2013.

liées à l'alcool, aux activités de casino, à la pornographie ou à l'industrie de la défense. La spéculation ? Formellement condamnée !

La neuvième édition du forum économique islamique mondial s'est tenue à Londres en octobre 2013. Ce rôle central qu'entend jouer la City sur ce marché hautement rémunérateur est clairement apparu malgré les nobles discours. Pas moins de onze chefs d'État et de gouvernement, et deux mille responsables politiques, banquiers centraux et hommes d'affaires venus d'Occident, du Proche-Orient ou d'Asie ont participé à la première conférence de ce type à se dérouler en dehors du monde musulman.

Car la finance islamique n'est plus un créneau exotique. C'est désormais une industrie respectable et respectée, en pleine maturité. Les actifs gérés par ce secteur en plein essor, présent dans une centaine de pays, s'élèvent à 1 300 milliards de dollars. Les services financiers de l'Arabie saoudite sont ainsi entièrement « islamisés ». De la Malaisie au Nigeria, les banques spécialisées sortent de terre comme des champignons. Le fonds souverain du Qatar a fait appel en partie à des montages islamiques conformes à la charia pour financer le rachat du village olympique construit pour les Jeux de Londres et la construction du Shard, la flèche de verre réalisée par l'architecte italien Renzo Piano qui domine la Tamise. La plupart des géants bancaires comme HSBC, Citigroup ou Deutsche Bank sont très actifs sur ce marché en pleine expansion.

Plusieurs facteurs expliquent cette formidable réussite qui a révolutionné notamment le recyclage des revenus tirés de l'exploitation des hydrocarbures. À l'exception de la déroute de l'émirat de Dubaï, surmontée depuis, et de la déconfiture d'une poignée d'institutions du Golfe, le monde musulman a largement échappé à la crise de 2008 en raison notamment de la prohibition de la spéculation. Par ailleurs, l'envolée des prix des hydrocarbures a gonflé le volume de pétrodollars à la recherche d'un placement rémunérateur. L'expansion de la classe moyenne musulmane dans les économies émergentes du Golfe ou de l'Asie a alimenté la demande de placements gérés en concordance avec le Coran.

Mais la conférence de l'Excel Center n'avait rien à voir avec le Forum de Davos. On n'était pas là pour débattre des idées mais pour faire des affaires ! Les participants aux différents panels de discussion se bornaient à lire de longs textes préparés par des agences de communication. Le service de presse avait été mobilisé pour applaudir les orateurs lors de conférences de presse bidon. Les experts « en charia », doctrine religieuse qui diffère selon les pays, n'avaient cessé de se disputer sur l'interprétation de la loi.

Les interrogations sur la rémunération exorbitante des docteurs de la foi ou sur leur vrai savoir-faire ? Sujets tabous. L'omniprésence des représentants des paradis fiscaux et la tradition de secret des grosses fortunes du Golfe avaient mis en exergue le « trou noir » que représente la finance islamique. La difficulté d'auditer les comptes en raison de normes différentes n'a jamais été mentionnée. Quant à l'absence de séparation entre les avoirs des familles royales et ceux de l'État dans de nombreux pays adeptes de la finance islamique, elle n'a, bien sûr, jamais été évoquée non plus.

Mystérieux oligarques russes, capitalisme chinois hors la loi et finance islamique trouble : la City reste une

« vieille dame permissive » sachant utiliser à bon escient les richesses d'autrui, selon l'expression de l'essayiste Anthony Sampson.

Hier comme aujourd'hui.

16.

Régulateurs, unissez-vous !

Tout serait donc pourri au royaume du veau d'or ? Non, bien sûr ! Si je suis un déçu du capitalisme, il n'est pas question de broyer du noir. Un capitalisme mieux régulé est tout à fait possible. Objectif ? Que le contribuable ne soit plus jamais détenu en otage. Car après 2008, les États et les banques n'ont survécu que grâce aux milliards de dollars, de livres sterling ou d'euros d'argent public injectés dans le système. Mais c'est le public – et pas les banksters – qui a payé les pots cassés. Les déficits budgétaires monumentaux créés par cette assistance à grande échelle ont provoqué des politiques d'austérité qui ont durement frappé les populations.

Plus jamais ça ! Il n'est guère de formule qui provoque autant d'écho que celle du renvoi aux leçons de cette crise. Un homme en a tiré les enseignements.

Lors d'une rencontre, le 7 février 2013, sir John Vickers, *warden* (principal) du collège All Souls de l'université d'Oxford, conserve le ton monocorde qui sied à ce grand lieu de l'érudition anglaise. Le pull-over vert foncé sur une chemise bleu clair trahit le conformisme apparent de ce temple de la pensée.

Cet homme sans la moindre aspérité est pourtant à l'origine de la loi qui a bouleversé le paysage bancaire, non seulement britannique mais aussi mondial. Fondée sur le rapport qu'il a publié en septembre 2011, la sanctuarisation des activités de banque de détail afin de protéger l'État d'une faillite des activités plus risquées de la banque d'investissement doit entrer en vigueur d'ici à 2019. Il s'agit, à ce jour, de la législation visant à dompter la finance folle le plus en pointe du monde occidental.

« Alfie ne vous gêne pas ? C'est un excellent auditoire, d'une totale discrétion », me lance le maître des lieux à propos de son schnauzer de trois ans et demi assoupi sur la moquette beige. Le chien est sans doute la seule note personnelle de ce bureau vénérable et austère qu'occupe l'ancien président de la commission de la réforme bancaire.

« Je suis un peu tombé dans la réglementation par hasard. » Rien ne prédestinait ce fils de marchand de parapluies d'Eastbourne, dans le sud de l'Angleterre, à sa future notoriété. Après sept ans d'enseignement sur la concurrence et la régulation à Oxford, John Vickers rejoint, en 1998, la Banque d'Angleterre comme économiste en chef et membre du comité monétaire. En 2005, cet économiste libéral préside l'autorité de la concurrence britannique où il ne manifeste guère de zèle à pourchasser les cartels. La veille de l'élection de 2010, ce libéral comme on n'en fait plus réclame une baisse drastique des dépenses de l'État afin de résorber un déficit budgétaire abyssal s'élevant à 11 % du produit intérieur brut, l'un des plus élevés des grandes économies développées. Cet appel du pied lui vaut d'être nommé par le gouvernement de coalition de centre droit, dirigé par le conservateur David Cameron, à la tête de la commission indépendante britannique sur la réforme bancaire.

Depuis ce jour, la réglementation est le combat de sa vie. L'exemple de John Vickers, ami des capitalistes, montre au passage qu'il ne faut pas être de gauche pour vouloir brider les excès. La droite, qui définit le cadre idéologique du libéralisme, est naturellement proche des puissances d'argent. Mais c'est la gauche au pouvoir avant la crise de 2008 qui a déréglementé tous azimuts. Cette piqûre de rappel s'impose, à la lumière d'une législation française émasculée en 2013 par le lobby bancaire avec la complicité du pouvoir socialiste et de l'Élysée.

« Je suis apolitique. La réglementation est une question surtout technique », insiste l'ancien haut fonctionnaire revenu à ses chères études. La présomption d'innocence empêche l'incarcération des banquiers en cas de prise de risques inconsidérés. Les interrogations morales sur la nature de la spéculation n'entrent pas en ligne de compte chez ce pragmatique. D'ailleurs, sa feuille de route excluait les paradis fiscaux, la banque de l'ombre (*shadow banking*) ou les bonus des banquiers.

Pas de doute, pour sir John, la réforme est bel et bien en marche. « Nous sommes mieux préparés aujourd'hui pour affronter une crise systémique qu'en 2008. Les mécanismes en place à l'échelle nationale comme internationale permettraient de circonscrire l'incendie et de préserver l'argent du contribuable. »

Je partage l'opinion de sir John Vickers pour qui le système financier est, en théorie, de nos jours, capable d'absorber un nouveau choc. Les banques sont encadrées de manière plus rigoureuse aujourd'hui. Les contraintes ont été renforcées. L'obligation faite aux établissements partout dans le monde d'augmenter leurs fonds propres doit permettre de réduire la voilure des activités de marché, grandes consommatrices de capitaux. En Europe comme aux États-Unis, la législation permet la liquidation ordonnée d'une enseigne en faillite pour ne pas répéter la panique bancaire qui avait suivi l'écroulement de Lehman. La spéculation pour compte propre est interdite ou limitée.

Par ailleurs, les régulateurs ont mis en place des structures d'analyse et de contrôles plus sophistiquées, avec des modèles informatiques permettant une meilleure surveillance des risques. Les nominations des dirigeants sont plus transparentes en vue de limiter la cooptation, en particulier au niveau des conseils de surveillance ou des comités de rémunérations. L'heure est au contrôle des salaires et bonus car le nombre de bénéficiaires des bonus les plus extravagants a baissé. Les déontologues, de plus en plus nombreux, surveillent les traders depuis. La mode de l'innovation financière forcenée, avec toutes ses dérives, a sans doute vécu, du moins sous sa forme actuelle.

Même si Vickers n'en est pas un au sens strict, il est, avec son fameux rapport, entré dans ce cercle suprême du pouvoir, celui des gouverneurs de banques centrales.

Ces gardiens de la politique monétaire se sont glissés depuis une quinzaine d'années avec naturel dans la peau des maîtres de l'univers. C'est une nouvelle République des doges, des doges pragmatiques comme l'étaient autrefois ceux qui dirigeaient Venise.

L'accueil digne d'une célébrité réservé par la presse britannique, à l'été 2013, au nouveau gouverneur de la Banque d'Angleterre, le Canadien Mark Carney, en apporte la preuve. Remarqué par Londres pour un sans-faute pendant la crise aux commandes de l'institut d'émission d'Ottawa, cet homme est devenu une institution du jour au lendemain. Ce monument porte sur les épaules l'avenir d'un peuple qui fut gérant d'un empire sur lequel le soleil ne se couchait jamais. Lors de sa première conférence de presse, le 7 août 2013, le personnage, mince et photogénique, a joué carrément à la rock star. « Bonjour Londres ! » s'est écrié Carney. « On va gagner ! », a lancé à la meute journalistique le premier gouverneur étranger de cette institution fondée en 1694. « Le surhomme va pousser la vieille dame… Il a du charme, du talent et des traits à la George Clooney », s'est emballé le *Sunday Times*, conquis !

Dans le même registre, les médias ont affublé Mario Draghi du surnom de « Super Mario » pour avoir déclaré : « On fera ce qu'il convient » lors du lancement du programme lui permettant de racheter de la dette d'États de la zone euro en difficulté. Bombant le torse tel un super-héros de bande dessinée, l'austère président de la Banque centrale européenne a été caricaturé en Superman en costume bleu et rouge, avec un gigantesque « S » entouré de jaune. On voit mal les journaux exhibant dans pareil accoutrement son prédécesseur, Jean-Claude Trichet. Il n'est qu'à voir le raffut médiatique produit en octobre 2013 dans la presse par la décision de Barack Obama de nommer Janet Yellen première femme présidente de la banque centrale américaine, pour mesurer le nouveau statut des grands argentiers.

L'élite des banquiers centraux a ses habitudes. Son lieu de rencontre favori, discret et fermé, est le dîner des principaux gouverneurs des banques centrales qui se tient tous les deux mois à la Banque des règlements internationaux, leur club, sise à Bâle. Dans la salle à manger aux murs blancs et au plafond noir du dix-huitième étage, les dirigeants de la Réserve fédérale américaine, de la Banque centrale européenne, de la Banque d'Angleterre, de France, d'Allemagne, du Japon, du Mexique, de l'Inde, de Chine ou du Brésil et d'une poignée d'autres pays font le point au cours d'un repas gastronomique pourvoyeur assuré de cholestérol. On est en Suisse alémanique après tout...

Les échanges de vue sur les dossiers les plus sensibles sont informels. Malgré le nombre élevé de participants, rien n'a jamais transpiré de ce conclave. Pour permettre aux intéressés de parler librement, aucun procès-verbal n'est d'ailleurs rédigé.

Ces mandarins forment désormais une sorte de franc-maçonnerie dont ils sont les grands maîtres amenés à « répandre dans l'univers la vérité acquise en loge ». Ainsi, en participant, au côté du Fonds monétaire international et de la Commission européenne, à la troïka chargée de l'application des plans de réforme dans les pays de la zone euro[1] affectés par la crise de la dette souveraine, la Banque centrale européenne a de facto guidé la politique budgétaire et fiscale de gouvernements issus des urnes.

En outre, à l'issue de la crise de 2008, une petite révolution s'est – discrètement – produite : la réglementation du secteur financier leur a été confiée. La mise en place de l'union bancaire fait de la Banque centrale européenne le régulateur des plus grands

---

1. Irlande, Grèce, Portugal et Chypre.

établissements de la zone euro. Dans l'Hexagone, la Banque de France chapeaute désormais le secteur de l'assurance. La Banque d'Angleterre est à nouveau le gardien des établissements de la City.

Cette caste va devoir maintenant gérer les risques du système. Un exemple : la taille du bilan de BNP Paribas ou de Deutsche Bank est d'environ 2 000 milliards d'euros, soit l'équivalent de la dette de l'Italie. A priori, bien que les bilans respectifs soient difficilement comparables, la péninsule court plus de risques que la banque française ou allemande. Mais le plus vulnérable n'est pas celui qu'on croit. BNP Paribas n'a officiellement que 10 % de fonds propres pour protéger son bilan. En revanche, l'Italie compte vingt millions de contribuables pour se protéger. En cas de coup dur, les capitaux de l'établissement peuvent disparaître plus vite que les contribuables italiens. Aussi, la finance non bancaire – compagnies d'assurances, fonds spéculatifs, sociétés de capital-investissement... – reste une vaste zone grise potentiellement vecteur d'excès en tous genres[1].

D'ailleurs, il faut bien reconnaître que les banquiers centraux n'ont pas vu venir la crise de 2008.

Jean-Claude Trichet à Francfort, Ben Bernanke à Washington et Mervyn King à Londres ne s'étaient pas souciés de l'excès d'endettement de certaines banques (Lehman, Bear Stearns...). Les problèmes de stabilité financière n'avaient jamais intéressé ces dirigeants obnubilés par la lutte contre l'inflation. De formation macroéconomique, ces croisés de la politique monétaire,

---

1. « The Lure of Shadow Banking », *The Economist* du 10 mai 2014.

que le fonctionnement des marchés financiers ne passionnait guère, méprisaient la City et Wall Street qu'ils ne connaissaient que de manière livresque. La pensée unique était alors basée sur l'hypothèse de l'efficience des marchés avec l'idée que les prix observés sont toujours justes.

En août 2005, tout le beau linge des banquiers centraux se retrouve à Jackson Hole, une station de ski du Wyoming. L'œil embrassant les pics enneigés du Grand-Teton derrière le lac, Raghuram Rajan, alors économiste en chef du Fonds monétaire international, déclare d'emblée : « Un désastre peut se profiler. » Le futur président de la banque centrale d'Inde cite l'incident du *wobbly bridge* (« le pont qui tremble »), comme a été baptisé le pont du millénaire londonien, une structure épurée conçue par Norman Foster traversant la Tamise d'une unique jetée. Le 12 juin 2000, deux jours après son ouverture, la passerelle s'était mise à tanguer dangereusement sous le poids des personnes venues la traverser. Les autorités l'avaient aussitôt fermée. Finalement, après vingt mois de travaux, l'édifice avait été stabilisé grâce à la fixation de poids amortisseurs sous sa superstructure.

Aux yeux de Rajan, chaque acteur – banque, fonds spéculatif, investisseur institutionnel ou particulier – réagit de la même manière à l'environnement. Quand la terre se met à vibrer sous leurs pieds, les intervenants changent tous et en même temps de stratégie dans la même direction, ce qui renforce la secousse initiale. Soudain, c'est l'ensemble du système qui tremble violemment.

Trichet, Bernanke et King applaudissent poliment Raghuram Rajan. Visiblement, le trio, trop sûr de son étoile après avoir dompté l'hydre inflationniste, n'a pas pris conscience de l'imbrication des crédits hypothécaires à risque dans le système financier. Personne n'imagine ce jour-là que, deux ans plus tard, le pont se mettra à trembler et qu'il s'écroulera un an après. Le Cassandre un peu guindé du Fonds monétaire international retombe dans l'oubli. Il n'est pas bon d'avoir raison trop tôt.

Enfin, pour un banquier central, passer du temps dans le secteur privé constitue une expérience certes enrichissante mais qui peut biaiser le jugement. Comment s'en défaire et prendre du recul ? Les exemples de Mario Draghi et de Mark Carney, deux anciens de Goldman Sachs, sont symptomatiques de conflits d'intérêts potentiels. Sont-ils à même de résister aux appels du pied de leurs anciens employeurs ? On peut sérieusement en douter.

L'audition par le Parlement européen, en juin 2011 à Bruxelles, de Mario Draghi pressenti pour prendre la direction de la Banque centrale européenne témoigne de la solidité de ces liens. Deux députés français tentent de percer les mystères de Draghi. L'Italien a travaillé trois ans pour Goldman Sachs à Londres après la sulfureuse histoire des comptes grecs en 2000. Que savait Draghi ? Et son rôle au siège de Goldman Sachs International consistait-il à vendre le même *swap* à d'autres pays ?

Pascal Canfin (Verts) : « La seule réponse que vous avez donnée jusqu'à présent est que vous n'y étiez pour rien, que vous n'aviez rien à voir. Ce qui me semble faux. »

Mario Draghi : « Si vous savez déjà que ce n'est pas la vérité, alors pourquoi posez-vous la question ? Les affaires entre le gouvernement grec et Goldman Sachs étaient engagées avant mon arrivée chez Goldman Sachs. Je le répète une nouvelle fois. Je n'avais rien à voir avec ces affaires. Ni avant ni après. Je n'étais pas chargé de vendre des choses aux gouvernements. En fait, je travaillais avec le secteur privé. »

Le ton est poli mais ferme. Non seulement Draghi ne condamne pas les pratiques de Goldman en Grèce, mais il n'hésite pas à défendre son ancien employeur.

Pervenche Berès (PS) : « Condamnez-vous les pratiques et le mode opératoire de Goldman Sachs ? »

Mario Draghi : « Qu'entendez-vous par "pratiques de Goldman Sachs" ? Il y a vingt-trois mille personnes chez Goldman Sachs, qui traitent d'affaires très variées et qui ne demandent qu'à être jugées sur leur probité. Maintenant, les critiques sur les banques d'investissement… »

En clair, Goldman Sachs ne pose aucun problème, c'est aussi simple que ça.

En octobre 2013, le patron de la Banque d'Angleterre, Mark Carney, l'a proclamé haut et fort, le Royaume-Uni doit redevenir le banquier du monde : « Bien organisé, un secteur financier vibrant rapporte des bénéfices substantiels. » Cette ode à la finance conquérante et sans entraves était notamment liée à l'ambition affichée de la City d'être le pivot international de la finance islamique comme du négoce du yuan.

On ne pouvait être plus clair. L'ancien goldmanien a fait abstraction de la crise financière et des graves problèmes économiques qui en ont résulté pour le Royaume-Uni. L'ex-joueur de hockey sur glace de grand talent a aussi pratiqué une purge des critiques de la City au sein du comité de politique financière de l'institut d'émission.

Il faut toutefois pratiquer le pardon des offenses. Au nom de l'essentiel : les banques centrales nous ont sauvés pendant la crise de 2008. Pour stopper net l'implosion économique, les taux d'intérêt ont été brutalement ramenés à zéro. Sous la houlette de Ben Bernanke, universitaire spécialisé dans la Grande Dépression qui ne cesse de le hanter, le club a renfloué l'industrie et le secteur financier exsangues.

Les gardiens des marchés ont également su faire preuve d'imagination en s'engageant, à partir de l'été 2009, sur la voie du soutien à l'économie dite du *QE*, le *quantitative easing*, c'est-à-dire le fait d'inonder les marchés de liquidités, quitte à gonfler la taille de leurs bilans (en acquérant des bons du Trésor et des titres de dette « pourris »).

À l'évidence, les grands taiseux qui avaient longtemps opéré en coulisse, à l'écart des médias et de leur agitation, ont appris aussi à communiquer. Il est bien fini le temps où Alan Greenspan, président de la Réserve fédérale américaine (de 1987 à 2006), avait répondu à quelqu'un qui lui demandait de ses nouvelles : « On ne me permet pas de le dire… »

17.

La finance, facteur (aussi !)
de progrès

En janvier 1985, après quatre années passées aux États-Unis, je reviens à Londres comme correspondant du quotidien belge *Le Soir* et de l'hebdomadaire français *Le Point*. Le 13 mai, je déjeune à la banque d'affaires S. G. Warburg avec son P-DG pour discuter du Big Bang prévu pour le 27 octobre 1986 à grand renfort de publicité. Ce bouleversement historique est basé sur quatre réformes clés : suppression des commissions fixes au profit de la libre concurrence des tarifs, fin de la distinction historique entre preneurs d'ordre et agents de change, admission des firmes étrangères au London Stock Exchange, remplacement de la traditionnelle criée par la cotation électronique. Conformément à la vulgate libérale thatchérienne, des organismes d'autoréglementation sont créés, mais ils se révèlent impuissants face à ceux qui transgressent les règles. Ils sont en effet contrôlés par les banquiers qu'ils sont censés surveiller !

Les fameuses bornes de la corbeille du London Stock Exchange sont rangées au rayon des accessoires. Le parquet, où se pressaient jusqu'à deux mille courtiers et contrepartistes, est désert. Le monde du silence. Telle se présente désormais la Bourse de Londres. « Rome n'est plus dans Rome... »

Pour résister au rouleau compresseur des sociétés de courtage américaines, japonaises et européennes qui vont s'engouffrer dans la brèche, S. G. Warburg a racheté plusieurs petites firmes de la place de Londres pour offrir toute la palette des services financiers. Et – surprise pour celui qui, journaliste à Reuters entre 1979 et 1981, se souvenait des longs déjeuners copieusement arrosés de la City – l'invité de S. G. Warburg a droit à un plateau de sandwichs et à une eau minérale. Le vin, le pousse-café, le cigare ont disparu de la salle à manger. L'entretien est rapidement expédié. L'emploi du temps nonchalant ne se divise plus entre une ou deux réunions, un lunch interminable au club, la sieste, l'heure du thé et éventuellement le pub. Le quartier de la City n'est plus désert à six heures du soir.

Désormais, il faut se battre, être *pushy*, se pousser du coude. Or c'était hier le pire des péchés dans la City dont la devise proclamait le respect de la parole donnée.

Jusqu'au Big Bang, les journalistes financiers franchissaient rarement le seuil des grandes banques. L'arrivée en masse des établissements américains cotés en Bourse change brutalement la donne. Les médias doivent être informés. C'est aussi l'avènement d'un capitalisme populaire promu par la Dame de fer, et la course aux mandats de privatisations nécessite de la publicité.

Même la presse tabloïd, qui traque les scandales de la vie privée de la famille royale, des stars ou des responsables politiques, s'intéresse soudain à la City. Les traders sont de gros consommateurs de la presse populaire. Je me souviens de cette retentissante affaire de mœurs qui avait conduit à la démission en 1995 du sous-gouverneur de la Banque d'Angleterre, Rupert Pennant-Rea. Il avait eu une relation extraconjugale avec une journaliste financière. L'ex-directeur de l'hebdomadaire *The Economist* avait dû quitter l'institut d'émission pour avoir fait l'amour sur la moquette dans le vestiaire attenant au bureau du gouverneur. Le contribuable avait payé pour le remplacement de la moquette souillée, sujet de choix pour les tabloïds.

L'onde de choc de la révolution londonienne a servi de modèle aux places étrangères rivales, comme en témoigne la déréglementation financière tous azimuts sur l'exemple britannique.

L'administration Clinton s'en est inspirée entre 1992 et 2001 pour abolir le Glass-Steagall Act de 1933 séparant les activités de banques de dépôt et celles des banques d'affaires. En France, Edouard Balladur, entre 1986 et 1988, et Pierre Bérégovoy, entre 1988 et 1992, modernisent la Bourse, suppriment le monopole des agents de change et la distribution de stock options. En Italie, le gouvernement Prodi ouvre le secteur financier à la concurrence étrangère et assouplit les règles de fonctionnement des marchés. En Allemagne, Gerhard Schröder fait de même en favorisant la consolidation du secteur bancaire privé, l'affaiblissement de la supervision bancaire et l'octroi de l'autonomie aux caisses d'épargne régionales. Les gouvernements espagnol, irlandais et islandais, socialistes comme de droite, suivent cette voie.

On connaît la suite. En trois décennies, la finance est passée de métier chic à une profession vilipendée qui a mauvaise presse dans tous les milieux, de l'ouvrier au patron en quête de crédits en passant par le petit commerçant. Le secteur sent le soufre. Les rares bonnes nouvelles sont immédiatement emportées par le flot incessant des mauvaises. La City reste hantée par ce qui a fait sa gloire. Quand je me promène le soir sur le pavé luisant dans l'une de ses ruelles sombres, je m'attends à tout moment à voir surgir un bankster, bandit de grand chemin prêt à s'emparer de ma bourse ! Bon, je plaisante.

C'est pourquoi l'intitulé de la conférence donnée le 13 mars 2013 à la Cass Business School, l'école de commerce de la City, n'avait pas manqué de m'intriguer : « La finance est-elle une source de progrès ? » L'orateur, un certain Franklin Allen, professeur de finance et d'économie à la prestigieuse Wharton School de l'université de Pennsylvanie, m'était totalement inconnu. Quand le conférencier est arrivé à la tribune, j'ai poussé mon voisin journaliste du coude : non mais, quelle allure ! Tout menu, tout frêle, il avait une drôle de tête d'oiseau qui le faisait ressembler à un extraterrestre.

Il ne faut jamais juger les gens sur leur mine. Cette rencontre fut une formidable aubaine. En déclarant haut et fort que, malgré sa face cachée peu reluisante, la finance « est d'abord une grande force de création de croissance ; si vous voulez une activité économique soutenue, il faut un secteur financier en bon état de marche », le speaker a confirmé mon propre sentiment : la finance peut être également un facteur de progrès.

En effet, ce n'est pas l'innovation financière en tant que telle mais son détournement qui a été l'un des facteurs déclenchant la crise. Il est important de constater que des pays aussi peu innovants sur le plan financier que la Grèce, l'Irlande ou l'Espagne ont connu la même bulle immobilière subprime que les États-Unis et le Royaume-Uni, berceaux des expérimentations folles de Wall Street et de la City !

Le monde de la finance a toujours été un catalyseur d'inventions. Bien utilisées, ces découvertes ont créé des opportunités. La démocratie s'en est trouvée renforcée. La première carte de crédit apparue à Babylone, en Assyrie, ainsi qu'en Égypte ancienne, l'arrivée des premières pièces de monnaie en Lydie autour de 650 avant J.-C., la circulation de la lettre de change au XIVe siècle, la création du marché de l'assurance et des Bourses de valeur au XVIIIe siècle, ou l'installation des distributeurs de billets de banque au XXe siècle soulignent la continuité en la matière. Une finance bien dirigée peut modifier les attitudes et les modes de vie de chacun. Fécondée par la matière grise, cette énergie de la troisième révolution industrielle a aussi fait la richesse de certaines nations.

« Business Angels », incubateurs ou capital-risqueurs issus des places boursières ont été le fer de lance de la nouvelle économie. La haute technologie en a été le premier bénéficiaire, comme en témoigne le développement des empires modernes, Google, Facebook ou Microsoft. Le succès de la Silicon Valley, la vallée du silicium californienne, n'a été possible que grâce au capital de départ fourni par des sociétés d'investissement liées de près ou de loin à des banques. Les financiers ont investi, alléchés par la perspective, bien sûr, de plus-value, mais aussi en vue de participer à une aventure innovatrice en oubliant risques et garanties ! Par la suite, la puissante machine du système bancaire traditionnel a pris le relais pour assurer l'expansion et les investissements dans la recherche. Dans la foulée, les banques d'affaires, moyennant des commissions considérables, ont pris le relais en mettant leur savoir-faire au service de ce nouveau monde.

Par le truchement de banques-conseils à la créativité parfois très débridée, les sociétés de haute technologie ont pu racheter de nombreuses entreprises pour alimenter leur croissance, élargir leur clientèle ou développer de nouveaux produits.

Par ailleurs, l'environnement, l'aide au développement et la santé ont bénéficié de l'ingénierie financière, des modèles mathématiques de simulation et de prise de risques.

L'environnement et la lutte contre les changements climatiques d'abord. S'il est un marché invisible et insaisissable, c'est bien celui des gaz à effet de serre. Ne cherchez pas de Bourse, le système est totalement électronique. Il n'existe pas de cours en tant que tel, mais un prix indicatif pour la tonne de gaz carbonique. Mis en place depuis 2005, ce marché permet aux grandes sociétés d'acheter ou de vendre des quotas d'émission dont le volume est fixé par une instance européenne. Les entreprises signataires sont contraintes de respecter les objectifs fixés au niveau de leur branche, sous peine d'amendes. Le marché permet à une compagnie en infraction de racheter à une autre, moins polluante, ses droits d'émission.

Cette contrainte virtuelle a obligé les compagnies cotées en Bourse à se concentrer sur les économies d'énergie. Les investisseurs institutionnels peuvent prendre en compte le facteur du réchauffement climatique dans leurs décisions de placement, particulièrement dans les secteurs les plus exposés comme l'assurance, le pétrole ou la distribution d'eau. Certes, les écologistes sont hostiles à ce marché de restauration des écosystèmes parce que c'est le contribuable qui règle l'addition et non les compagnies polluantes. Mais la faute en revient aux politiques, pas à la City.

L'aide au tiers monde est un autre exemple de la contribution positive au progrès que peut apporter l'industrie financière. « Comme l'esclavage et l'apartheid, la pauvreté n'est pas naturelle, disait Nelson Mandela, elle est créée par l'homme et de ce fait peut être combattue et éradiquée par l'action humaine. »

Certes, le bilan de l'industrie financière en matière de développement est en clair-obscur. L'optimisation fiscale, le recours aux zones off-shore, l'utilisation de structures permettant de cacher l'argent sale des dictateurs, du négoce de la drogue ou de la corruption des élites locales privent les pays les plus pauvres de la planète de recettes. La folle et insatiable spéculation des hedge funds et des grandes banques d'affaires sur les matières premières, en particulier le pétrole et les produits agricoles, a aggravé les difficultés de ces nations. La flambée des prix des denrées a provoqué des émeutes violentes contre la vie chère. Les banquiers ont pris le contrôle de l'alimentation mondiale et un milliard d'êtres humains de par le monde ne mangent pas à leur faim.

Le constat à première vue semble accablant.

Pourtant, l'aide au développement fonctionne mieux quand elle fait appel aux techniques sophistiquées. Les banques ont souvent été le fer de lance de l'association du secteur privé à de grands projets d'infrastructure d'organismes comme les agences de l'ONU ou la Banque mondiale. Des ONG en charge de la sécurité alimentaire ont pu faire appel au marché obligataire pour se financer. Des firmes de la City ont accompagné l'amélioration voire la création d'un cadre réglementaire, légal et comptable de l'activité bancaire dans les zones les plus démunies du globe.

Parmi les succès qu'on peut mettre en avant figure le développement du micro-crédit pour combattre la pauvreté et l'exclusion grâce à l'octroi de petits prêts à des personnes considérées comme non solvables selon les critères bancaires habituels. Au Kenya, l'Equity Bank permet aux personnes d'accéder au crédit ou de faire fructifier leur épargne sans quitter leur village. Cette institution privée a notamment proposé aux éleveurs des régions arides une assurance anti-sécheresse. Un autre groupe kenyan, M-Pesa, utilise pour sa part les applications mobiles pour effectuer les transactions bancaires à la campagne.

Dans le domaine de la santé, enfin, la finance a pu suppléer les lacunes des laboratoires. La mise au point de nouveaux médicaments est pénalisée par la frilosité des compagnies pharmaceutiques dans le cadre d'un marché hypercompétitif, de brevets qui tombent dans le domaine public, de réduction du nombre de molécules à l'étude et de la baisse des budgets publics de santé. Pour compenser l'incertitude du développement des produits plus complexes, là où le risque d'échec est plus élevé, et l'accent mis sur les thérapies les plus prometteuses, les banques d'affaires peuvent mobiliser les outils du capital-risque, des fusions-acquisitions ou du partenariat public-privé. Ces acteurs peuvent notamment intervenir au début de la chaîne, en collaborant avec les universités qui conduisent la recherche fondamentale ou avec les firmes de biotechnologie chargées des premiers essais sur l'homme. Les banques le font à la fois dans la perspective d'un réel bénéfice mais aussi de retombées positives en matière d'image.

Les avancées dans l'environnement, l'aide au développement et la santé soulignent qu'il n'y a pas que des banquiers voyous qui se jouent de l'éthique ou de la morale. Cette observation est d'autant plus valable que les financiers de haut vol peuvent se montrer d'une grande générosité envers les bonnes causes.

Dans la City comme à Wall Street, chacun entend échapper à son rôle en montant sa fondation et en étant sur toutes les listes des galas de charité. Banquiers, gestionnaires de hedge funds ou patrons du capital-investissement lâchent les cordons de la bourse au profit d'institutions charitables, musées, théâtres, hôpitaux, orphelinats... Le sort des enfants en Afrique, particulièrement ceux qui sont victimes du sida, leur tient à cœur. Cette magnanimité semble sincère. Ils ne culpabilisent pas d'avoir de l'argent et entendent certes en profiter. Mais, parallèlement, ils veulent aussi en faire bénéficier les autres, et tant mieux.

La raison en est simple. Les opérateurs souffrent du stress et de la culture brutale des salles de marchés. L'argent n'est pas tout. Cet environnement cupide, concurrentiel, individualiste, éphémère laisse pas mal de bleus à l'âme. Les fonds donnés à l'humanitaire sont en quelque sorte une réaction naturelle au caractère impersonnel du maniement de milliards au sein d'une communauté qui vit en vase clos. Jeunes en majorité, banquiers et traders opèrent dans cet univers incestueux et communiquent de manière électronique. Ils sont détachés du réel. La solidarité sociale leur remet les pieds sur terre.

On ne présente plus les mécènes que sont les George Soros, Warren Buffett ou Michael Bloomberg, qui ont ouvert leur portefeuille aux moins bien lotis. Ils aiment donner d'eux l'image de milliardaires généreux semant sur leur passage de l'argent, des sacs d'argent en grosses coupures. La caricature d'un rôle qu'aurait pu jouer Chaplin.

Mais ces illustres célébrités cachent une autre couche plus compacte de bienfaiteurs plus discrets voire anonymes : les spéculateurs gérants de hedge funds. Christopher Hohn, associé principal et fondateur du Children's Investment Fund Management, verse un tiers des commissions et une bonne partie de sa rémunération à sa propre association d'aide aux enfants d'Afrique ainsi qu'aux *charities* les plus en vue – association liée aux grands donateurs que sont Elton John, Bill Clinton ou Bill et Melinda Gates. Emmanuel Roman, le directeur général de Man Group, a financé une chaire d'histoire et de relations internationales à la London School of Economics, la recherche contre le cancer et la lutte contre la pauvreté. Le fonds spéculatif Brevan Howard a créé un centre d'études à l'Imperial College tourné vers les questions de stabilité financière, de réglementation ou de contagion des crises. L'enseignement supérieur et la recherche sont tout naturellement les deux domaines de prédilection de ces forts en maths.

En fait, à écouter ses partisans, le lien philanthropique, souvent lié à un itinéraire personnel, plonge ses racines dans l'essence même du capitalisme libéral. Le droit d'accumuler sans entraves les richesses et d'accroître les inégalités va de pair avec la nécessité de partager avec les générations futures. Dans un monde parfait, ce serait le rôle de l'État, mais celui-ci est souvent guidé par des considérations électorales en matière de redistribution. On pense au chat du dessinateur Philippe Geluck qui résume à la perfection cet état d'esprit : « Si j'étais très, très, très riche, je distribuerais mon argent jusqu'à ne plus être que très riche. Très riche me suffit. »

La philanthropie – et une certaine intelligence de la situation – est-elle morale dans un monde sans foi ni loi ? Un coup de cœur plutôt qu'un coup de pub ?

Il faut cependant se rappeler qu'aux États-Unis, cette générosité est déductible... des impôts. C'est aussi – surtout ? – une manière de se donner bonne conscience. Aux critiques de sa richesse nouvellement acquise, Tony Blair oppose invariablement ses beaux gestes, ses deux fondations caritatives au profit du développement en Afrique et de l'œcuménisme religieux. Ne vaudrait-il pas mieux faire moins de bonnes œuvres et acquitter la totalité de l'impôt sur les sociétés ou les revenus ? En effet, cette philanthropie est en partie financée par une optimisation fiscale qui fait l'objet de soins intenses.

Parfois, c'est la fraude fiscale et le blanchiment d'argent sale qui motivent le pseudo-altruisme de bienfaiteurs dissimulés derrière une structure opaque, comme un

211

trust de gestion patrimoniale immatriculé dans une zone off-shore qui sent l'argent noir[1].

Tel est le cas d'un promoteur immobilier, Raheem Brennerman, qui, en 2007, avait persuadé la Royal Bank of Scotland de financer un projet d'aménagement d'appartements super-luxueux dans le centre de Londres. Quand le chantier a fait faillite un an plus tard, la banque avait tenté de récupérer sa mise. Mais Brennerman avait constitué une série de trusts dans la zone off-shore des îles Vierges britanniques en vue d'échapper à ses créanciers. Et pour pouvoir mieux dissimuler son identité, l'intéressé avait nommé au titre de bénéficiaires officiels des organisations caritatives de lutte contre le cancer et le diabète, de préservation du patrimoine national et de protection de l'enfance. Ces associations n'ont jamais reçu le moindre penny. Afin de brouiller davantage les pistes, certains bandits de grand chemin n'hésitent pas à utiliser comme couverture des ONG militantes comme Amnesty, Greenpeace ou Global Witness… sans jamais les financer.

Aux États-Unis comme au Royaume-Uni, la vie mondaine tourne autour des galas philanthropiques. Donner de l'argent permet aux nouveaux riches de faire oublier l'absence de pedigree ou de relations pour pénétrer dans les salons de la plus haute société. Un honneur auquel leur simple statut de banquiers ou d'entrepreneurs ne leur donnerait pas droit. Le *New Money* (« l'argent nouveau ») peut devenir le sésame pour mettre un pied dans la bonne société. À condition qu'il soit saupoudré d'un zeste de bons sentiments.

---

1 *Sunday Times* du 28 avril 2013.

Sans vouloir dire qu'il ne faut que des saints dans la finance pour qu'elle soit facteur de progrès, on peut penser que tant qu'elle attirera un trop grand nombre d'individus motivés seulement par l'argent et leur intérêt personnel, les dérives seront inévitables.

18.

Bombes à retardement

Au début de ma carrière, à la fin des années soixante-dix, les robots n'existaient pas. Le cours de l'or était fixé selon un rituel immuable sous les auspices de la vénérable maison Rothschild. Les auditeurs se cantonnaient à leur métier de certification des comptes de sociétés. Genève était une lessiveuse d'argent sale. La City était un club de gentlemen autoréglementé par la devise « *My word is my bond* » (Ma parole vous sert de garantie). Quant aux banquiers centraux, placés sous la férule des gouvernements, ils ne s'occupaient que de l'inflation et de la protection du taux de change.

Aujourd'hui, sous l'effet de la tourmente financière comme de la crise des dettes souveraines, le décor a profondément changé. En microsecondes, des « robots traders » effectuent la plupart des ordres boursiers. Le prix de l'once d'or est manipulé par de vilains spéculateurs. Les auditeurs sont devenus de gigantesques conglomérats attrape-tout, perclus de conflits d'intérêts. Genève est rentrée dans le rang. La City, plus que jamais « Vieille Dame permissive », est une place totalement ouverte aux vents de la mondialisation. Et les gouverneurs des instituts d'émission sont les nouveaux maîtres de l'univers.

Confrontées à l'effondrement du système financier en 2008 puis à la débâcle de l'euro, les autorités nationales comme internationales ont pratiqué une sévère re-réglementation des circuits financiers. Pourtant, malgré l'encadrement rigoureux mis en place depuis la chute de Lehman Brothers, l'économie mondiale reste assise sur une multitude de bombes à retardement.

Il y a les classiques. Une hausse rapide du crédit et des prix de l'immobilier au-delà de la progression du revenu disponible, l'endettement des ménages et des entreprises dopé par des taux d'intérêt historiquement bas, la possibilité d'une hausse de l'inflation due aux augmentations des salaires, le relâchement du contrôle prudentiel par une banque centrale incompétente, indifférente ou bien complice, le refus des gouvernements de réduire le train de vie des États ou l'impossibilité d'augmenter les impôts sont autant de causes possibles d'un prochain krach. Plus spécifiquement, ce pourrait être l'éclatement de la bulle obligataire, aux États-Unis mais aussi en Europe, les conséquences du déluge de liquidités injectées dans l'économie par les banques centrales. Il y a aussi la possibilité d'une déconfiture informatique colossale. Les aléas géopolitiques liés à l'accroissement des inégalités et à l'appauvrissement des classes moyennes nationales au profit d'une élite mondialisée de super riches peuvent entraîner l'implosion du tissu social. En outre, les déficits structurels et l'allongement des courbes de vie sont des sujets d'inquiétude. Enfin, comme le montre le montant de l'amende colossale infligée par le Trésor et les agences américains à BNP Paribas, les menaces de sanction que les États-Unis font peser sur l'ensemble des établissements de la zone euro constituent désormais un danger avéré pour les économies européennes.

Mais il existe des armes financières de destruction massive dont on parle peu et qui peuvent se révéler bien plus redoutables : les prêts étudiants aux États-Unis, la banque de l'ombre en Chine et les produits dérivés.

Les prêts aux étudiants américains sont sur la sellette. Les emprunts s'élèvent à ce jour à plus de 1 000 milliards de dollars, soit davantage que le montant de la dette rattachée aux cartes de crédit ou au financement automobile. Trente-sept millions d'Américains qui ont eu recours à ces facilités sont écrasés par leurs dettes. Près de deux tiers des diplômés sont endettés après quatre ans d'études. L'enseignement supérieur a atteint des tarifs astronomiques.

L'idée est simple : les revenus futurs des diplômés devront permettre à ces derniers de rembourser le prêt. Faire des études supérieures outre-Atlantique est un investissement optimal. Alors que le revenu des non-bacheliers a chuté depuis vingt ans, celui des diplômés a augmenté. Les banques qui les octroient ferment donc les yeux sur le profil des récipiendaires. Il n'existe pas de conditions de ressources.

Résultat : les défauts de paiement sont nombreux, particulièrement chez les diplômés en sciences sociales et en général dans les matières non scientifiques ou non liées au droit ou à la finance. Faute d'emploi suffisamment rémunéré, voire d'emploi tout court, les ex-étudiants littéraires entrés dans la vie active éprouvent de sérieuses difficultés à honorer leurs traites.

Si les chiffres sont impressionnants, la création d'une « bulle universitaire » n'a certes rien de comparable avec la faillite immobilière des subprimes de 2008, à l'origine de la crise financière. Le marché des prêts étudiants ne représente que 10 % des crédits immobiliers résidentiels. De surcroît, le gouvernement fédéral garantit 80 % des prêts étudiants, ce qui ne laisse que 20 % des risques dans le système bancaire. Au Royaume-Uni, les pouvoirs publics couvrent la totalité des prêts. Seuls les bénéficiaires qui gagnent davantage que le salaire moyen[1] annuel sont obligés de les rembourser.

En pourcentage du bilan des établissements financiers, les retombées de l'explosion d'une telle bulle sont donc gérables. Mais il existe deux canaux de transmission possibles à l'économie globale. Les effets secondaires pourraient avoir des répercussions négatives sur la consommation et l'immobilier, les deux piliers de l'activité aux États-Unis, et sur la capacité des banques américaines à prêter. Et quand l'Amérique éternue, l'Europe prend froid...

Moteur de la croissance mondiale, la Chine est assise sur le deuxième baril de poudre. Au cœur de la menace qui fait trembler les chancelleries occidentales et les antichambres des places financières figure le *shadow banking*. La banque de l'ombre regroupe les activités financières d'institutions non bancaires échappant de ce fait à toute supervision prudentielle. Comme il s'agit

---

1. L'équivalent de 33 000 euros.

217

d'opérations opaques, ce qu'on connaît de ce système parallèle est parcellaire. Ce n'est que la partie émergée de l'iceberg.

La finance parallèle qui cache ce que la comptabilité officielle ne saurait révéler représente un bon tiers de l'ensemble des crédits accordés dans le pays en 2013. Ce marché de l'ombre en pleine croissance représente plus de la moitié du produit intérieur brut. Le phénomène se développe comme une traînée de poudre dans le financement de l'économie chinoise, la deuxième au monde. Le déséquilibre du système financier, l'explosion des dettes publiques et la prolifération d'instruments de crédit non régulés sont autant de terrains minés.

On est en plein « aléa moral » (*moral hazard* en anglais). En effet, les investisseurs dans le *shadow banking* chinois sont persuadés qu'ils seront secourus par les pouvoirs publics voulant à tout prix éviter l'implosion du système financier. Le filet de protection les pousse à s'exposer plus hardiment, à prendre des risques sans limites.

À l'ère de la mondialisation et des liens de plus en plus étroits entre la Chine, les États-Unis et l'Europe, la structure nébuleuse du capitalisme de l'ombre chinois constitue-t-elle une nouvelle bulle capable de faire sauter les places financières comme de simples bouchons ? Pris isolément, les intervenants de la finance parallèle ne constituent pas une menace. Reste qu'en raison de l'interconnexion des marchés, la faillite d'un grand nombre d'opérateurs au même moment peut faire éclater la planète financière chinoise. L'effet domino pourrait aisément se répercuter dans le système bancaire traditionnel chinois. Il y a d'autant plus péril en la demeure que le *shadow banking* est souvent domicilié dans les centres financiers off-shore, les fameux paradis fiscaux comme les îles Caïmans ou les îles Vierges britanniques.

C'est aussi le cas des produits dérivés qui, bien que mieux régulés depuis la crise de 2008, restent une épée de Damoclès au-dessus de l'économie mondiale. Ces marchés sont nés et se sont développés pour limiter les risques. En réalité, le système financier s'en est emparé pour créer des risques plus importants encore. C'est peut-être la mère de toutes les bombes.

Il s'agit de contrats à terme utilisés par les établissements financiers et les entreprises pour se prémunir contre les évolutions des monnaies, des taux d'intérêt ou du cours des matières premières. Ils « dérivent » dans la mesure où leur valeur dépend étroitement de celle des devises, du loyer de l'argent ou des prix des ressources naturelles auxquels ils sont liés. La très faible mise initiale par rapport à l'engagement peut créer des gains considérables mais aussi des pertes illimitées.

Entre 1989 et 2007, sous l'effet d'une déréglementation financière sauvage, les produits dérivés, toujours plus complexes et incontrôlables, étaient négociés de gré à gré, directement entre les deux parties, de manière opaque et sans laisser de traces.

En 1994, j'avais interviewé Rudi Bogni, le patron de la filiale londonienne de la Swiss Bank Corporation, qui faisait autorité en la matière. Rudi Bogni admirait l'innovation financière comme un bon gros saint-bernard fasciné par la vitalité d'un lévrier. « Les produits dérivés ne constituent pas un danger aujourd'hui » : dans son plaidoyer, Bogni affirmait que les risques de pertes étaient le meilleur moyen de renforcer la vigilance. L'autodiscipline et les sanctions financières infligées par les marchés suffisaient à éviter tout désastre. Après tout, personne n'était obligé de venir sur ce créneau. C'était un jeu à somme nulle entre professionnels puisque les sommes perdues par l'un étaient gagnées par l'autre, dans la meilleure tradition du capitalisme triomphant.

Vouloir revenir à un monde simpliste serait se comporter comme des luddites, ces ouvriers anglais qui, lors de la crise de 1811-1813, avaient brûlé les nouveaux métiers à tisser mécanisés, jugés responsables de leur infortune.

Rudi Bogni ne croyait pas si bien dire. Huit mois après notre entrevue, les produits dérivés ont fait une autre victime de choix, la banque Barings. Il y en aura d'autres, à commencer par Lehman Brothers.

C'est pourquoi, après 2008, un seul leitmotiv revient inlassablement : « Plus rien derrière le comptoir. » Les 24 et 25 septembre 2009, les chefs d'État ou de gouvernement du G20, des dix-neuf principales puissances de la planète plus le représentant de l'Union européenne, s'étaient retrouvés à Pittsburgh (Pennsylvanie). Sans beaucoup avancer dans les modalités d'application, la montagne de Pittsburgh avait accouché au moins d'une directive substantielle : le contrôle des produits dérivés.

Désormais, en vue d'assurer la transparence et la sécurité, les États-Unis et l'Union européenne[1] ont

---

1. Dodd-Frank Act aux États-Unis et Emir (European Market Infrastructure Regulation) prévoient non seulement la compensation centralisée obligatoire, mais l'inscription des transactions dans un registre de données officiel ainsi que la standardisation des produits.

contraint les banques à faire transiter la totalité des produits dérivés par des gares de triage centralisées chargées d'effectuer les règlements et d'administrer le négoce : les chambres de compensation.

Une chambre internationale de compensation (*clearing house* en anglais) n'est rien de moins qu'une organisation qui se porte garant de la bonne exécution d'une transaction et qui collecte les dépôts de garantie des intervenants. Cette boîte enregistreuse qui recense les ordres boursiers est une sorte de banque des banques. Elle fait les comptes au jour le jour des flux financiers par mode électronique entre tous les établissements du globe. Clé de la mondialisation financière, c'est une toile d'araignée informatique opérationnelle vingt-quatre heures sur vingt-quatre dans chaque pays de l'univers.

Je n'avais jamais entendu parler auparavant des chambres de compensation. Jusque-là, personne ne s'était trop soucié de l'activité de cette mécanique d'exécution des paiements sur les marchés financiers et entre les banques. C'était un job de plombier-zingueur, d'expert en tuyauteries ou robinets financiers, certes essentiel mais peu glorieux.

Depuis le G20 de Pittsburgh, les chambres de compensation se retrouvent au cœur du nouveau dispositif de contrôle de ces produits dérivés. Les risques sont en principes éradiqués. En poussant ces derniers dans le champ de la régulation, le nouvel encadrement a fait sortir acheteurs et vendeurs de l'anonymat. Par ailleurs, les parties doivent verser une garantie en dépôt, ce qui réduit les risques de défaut de l'un d'entre eux et rassure tout le monde sur la fiabilité des intervenants.

Dans la réalité, il n'en est rien. En effet, une menace systémique a été remplacée par une autre. En vérité, les chambres de compensation peuvent avoir des effets inattendus sur la stabilité financière.

« Si vous mettez tous les œufs dans le même panier, vous avez intérêt à surveiller le panier » : le bon mot de Mark Twain va comme un gant à la nouvelle réglementation qui confie la gestion des aléas des produits dérivés à une poignée de chambres de compensation de par le monde, des sociétés privées à but lucratif.

Le danger est bien réel. Ces institutions sont sous-capitalisées au vu de l'ampleur de leur feuille de route. Le capital est dérisoire comparé à celui des banques dont elles assument l'exécution des transactions. Si l'une d'entre elles devait s'effondrer, la contagion au système bancaire risquerait de s'étendre par le truchement des garanties déposées auprès d'elles. Les dérivés sont le principal facteur d'interconnexion entre les banques. De ce fait, en cas de défaillance, ces géantes gares de triage électroniques devront être secourues par le contribuable pour éviter l'effet domino.

Pour la première fois depuis notre première rencontre de 1994, je retrouve Rudi Bogni au printemps 2014 dans un hôtel de St. James. La soixantaine joviale et massive qu'il s'efforce de contenir tant bien que mal dans d'austères costumes, il vit toujours le roman des excès de la crise. Reconverti dans la banque privée, ce libéral comme on n'en fait plus n'a pas l'ombre d'un regret quand je lui rappelle la teneur de notre conversation : « J'irais même plus loin aujourd'hui qu'en 1994. Les produits dérivés ont assuré notre prospérité du début des années quatre-vingt-dix à 2008 en permettant une expansion sans entraves d'un endettement bon marché. Sans eux, faute d'augmentation de la productivité, l'Occident n'aurait pas été capable de maintenir son niveau de vie. Les politiciens qui prétendent pouvoir tenir leurs promesses en recourant à des mécanismes financiers archaïques sont des hypocrites. »

Le message est on ne peut plus clair : c'est au moment même où l'on a besoin de créativité et d'innovation pour sortir du pétrin que la population veut mettre la finance dans une camisole de force. Le risque est inhérent à la nature humaine.

Devant un tel déni de la réalité, la plaisante copie du Watteau aux cimaises de la salle de restaurant prend soudain les traits angoissants d'un *Caprice* de Goya.

CONCLUSION

Le krach de 2008
peut-il se reproduire ?

Commencée à la fin des années soixante-dix, ma vie professionnelle a été rythmée par les crises économiques. Tous les sept ans en moyenne, l'édifice financier s'est effondré comme un château de cartes. L'étourdissante montée des taux d'intérêt aux États-Unis en 1981-82, le krach boursier de 1987, la débâcle asiatique et sud-américaine dans les années mi-quatre-vingt-dix, l'éclatement de la bulle technologique en 2001 et l'effondrement de Lehman Brothers en 2008 suivi de la crise de la zone euro deux ans plus tard soulignent combien l'histoire, davantage que se répéter, bégaye.

Krach, ce mot d'origine allemande revient inlassablement à chaque crise financière. À en croire la loi des sept ans, le cataclysme de 2008 devrait se reproduire au cours des deux ou trois prochaines années. Des économistes en parlent. Les gouvernements le redoutent. Le spectre de la crise est toujours présent. Les bulles financières potentielles prêtes à éclater à tout moment en cas de retournement de la tendance sont légion. La finance n'est toujours pas domestiquée, c'est un fait. Les remèdes ne sont pas en place. Le résultat est que des crises nouvelles peuvent survenir.

Dans ce contexte, quoi de plus universel que les dix commandements ? Gravons dans nos Tables de la Loi les dix principes que je vous livre, qui pourraient permettre d'écarter le spectre d'une nouvelle crise financière :

1. La course au gigantisme n'est pas nécessairement une bonne chose.

Sorties plus puissantes que jamais de l'hécatombe de 2008, les banques ont accentué leur primauté et donc, d'une certaine façon, la fragilité du système. Organisé en redoutable cartel, l'oligopole des grands, qui a non seulement préservé mais conforté sa position au cœur du système, bénéficie d'une rente de situation dangereuse.

2. La finance ne se corrigeant pas d'elle-même, les pouvoirs publics doivent être prêts à intervenir.

Les mécanismes de réglementation des faillites bancaires prévus par l'Union bancaire européenne doivent être simplifiés afin d'être mieux appliqués en cas de besoin. Les moyens du Fonds de résolution d'une crise bancaire doivent être accrus pour faire face au passif colossal des établissements financiers. Cela dit, l'Union bancaire qui prévoit la supervision unique des grandes banques est une belle avancée.

3. Le contribuable ne doit pas être la bouée de sauvetage en dernier ressort.

Il faut le protéger contre les dettes du système bancaire qui, en cas d'implosion, deviennent au bout du compte celles des États, contraints à soutenir les institutions défaillantes. Afin de mettre le public à l'abri, de nouveaux critères de solvabilité bancaire sont nécessaires.

4. L'endettement des intermédiaires financiers doit être limité.

Il faut réduire les prises de risque des intervenants en imposant des niveaux d'endettement limités qui permettent d'absorber le choc d'une nouvelle crise.

5. L'excès de liquidités est dangereux.

Les liquidités injectées à tour de bras par les banques centrales pour soutenir la reprise sont potentiellement ravageuses. Et son corollaire, l'argent bon marché, alimente la flambée de l'immobilier, facteur de déstabilisation en raison des sommes colossales liées aux crédits immobiliers résidentiels.

6. Les gouvernements doivent intervenir pour empêcher l'explosion d'une bulle, au lieu de se contenter de l'endiguer.

C'est en particulier le cas d'armes financières de destruction massive dont on parle peu mais qui peuvent se révéler redoutables : les prêts étudiants aux États-Unis et en Grande-Bretagne, la banque de l'ombre en Chine et les produits dérivés. L'éclatement de ces bulles peut aisément se transmettre à l'économie globale par le truchement de la consommation et de l'immobilier.

7. La réduction de la taille d'établissements « trop gros pour faire faillite » doit être prioritaire.

Il faut diminuer la taille des banques universelles « trop grandes pour faire faillite » (*Too big to fail*). Les activités de détail, au cœur du financement de la vie économique, doivent être sanctuarisées. Pour rétablir la confiance, le renforcement des fonds propres, aujourd'hui insuffisants, s'impose. Par ailleurs, les régulateurs nationaux doivent prendre leurs distances avec l'industrie financière.

8. Une meilleure compréhension des risques, particulièrement technologiques, est essentielle.

Les régulateurs doivent standardiser les produits financiers les plus complexes et les plus incontrôlables, à l'instar des produits dérivés. En interdisant le négoce de gré à gré, anonyme, directement entre les parties, les autorités ont amélioré la transparence de ces transactions. Les chambres de compensation indépendantes, par lesquelles doivent transiter désormais les produits dérivés, sont la moins mauvaise solution. Reste qu'en cas de défaillance, ces sociétés, actuellement sous-capitalisées, devront être secourues par le contribuable.

9. Les régulateurs doivent disposer des moyens, financiers et humains, à la hauteur de l'enjeu.

En confiant aux banques centrales l'essentiel de la réglementation bancaire, les gouvernements ont le devoir de leur fournir les ressources, notamment humaines, informatiques, pour assurer une meilleure surveillance des risques. Les organismes de supervision doivent attirer les meilleurs éléments pour pourchasser les banksters de tout poil.

10. Si on veut changer en profondeur le système, il faut réduire les rémunérations qui restent trop élevées.

Il n'y a aucune raison qu'un banquier gagne davantage qu'un industriel, à niveau de responsabilité égale. Malgré la limitation des bonus excessifs, la finance reste l'un des rares secteurs où l'on peut faire fortune très vite et très jeune. Cette situation exceptionnelle ne répond plus à aucune nécessité et scandalise à juste titre l'opinion publique.

Ces dix commandements pourraient poser les bases d'une nouvelle morale financière.

Le programme anti-krach est là. Reste qu'un krach se produit toujours quand personne ne l'attend.

EN GUISE DE REMERCIEMENTS

J'exprime toute ma reconnaissance à deux amis journalistes de longue date – Dominique Dunglas, correspondant du *Point* à Rome, et François Turmel, ancien directeur des services français de la BBC – qui, lecteurs particulièrement éclairés et assidus, ont corrigé le manuscrit d'une manière très professionnelle.

Mes remerciements vont aussi aux directeurs du *Monde* pour leurs encouragements. Grâce à Jean-Marie Colombani, au regretté Erik Izraelewicz, à Natalie Nougayrède et à Gilles Van Kote, j'ai pu agir en toute indépendance pour mener à bien mon métier de chroniqueur financier. Les encouragements des ex-directeurs de la rédaction, Gérard Courtois, Alain Frachon et Sylvie Kauffmann, ont été bienvenus. Je remercie aussi Virginie Malingre, chef du service économique, mes confrères correspondants, Eric Albert à Londres et Harold Thibaud à Shanghaï, ainsi que Vincent Nouvet, documentaliste au *Monde*, pour son assistance précieuse. Sans l'aide du service de documentation du journal, ce travail n'aurait pu être mené à bien.

Je n'oublie pas mes employeurs précédents sans lesquels ce voyage personnel n'aurait pas été possible : *Le Soir* et *Le Point*.

La disponibilité dont ont fait preuve Rudi Bogni, Nigel Dudley, Jérôme Fritel, Philippe Kelly, Jean-Pierre Mustier,

231

Hélène Rey, Manny Roman, Jean-Luc Schilling, John Shakeshaft, Jean-Louis Six, Arnaud Vaissié et Monique Villa m'est allée droit au cœur.

Il en va de même des très nombreux banquiers, managers de hedge funds, traders en matières premières, experts et hauts fonctionnaires qui m'ont reçu et éclairé en demandant à conserver l'anonymat.

Je tiens aussi à mentionner l'ambassadeur de France à Londres, Bernard Emié, et Laurence Dubois Destrizais, ministre conseillère pour les affaires économiques et financières, ainsi que leurs collaborateurs.

Mes remerciements vont tout particulièrement à mon préparateur physique, Arnau Martinez, qui m'a maintenu en forme au cours de la longue période de rédaction de cet ouvrage, ainsi qu'à mon avocate, Florence Bourg. Une mention particulière va à Luce Perrot, déléguée générale de Lire la société.

Que mon éditeur, Alexandre Wickham, et sa collaboratrice, Gaia Maggi, trouvent ici l'expression de ma gratitude. Je tiens également à remercier Francis Esménard, le président d'Albin Michel, et Joëlle Faure, chef du service de presse, ainsi que l'ensemble du personnel de cette grande maison d'édition pour leur remarquable travail.

TABLE

DU MÊME AUTEUR

Diana. Une mort annoncée,
avec Nicholas Farell, Scali, 2006.

Elizabeth II, la dernière reine,
La Table ronde, 2007.

Un ménage à trois,
Albin Michel, 2009.

La Banque. Comment Goldman Sachs dirige le monde,
Albin Michel, 2010.

Le Capitalisme hors la loi,
Albin Michel, 2011.

Elizabeth II, une vie, un règne,
La Table ronde, 2012.

Composition Nord Compo
Impression CPI Bussière en août 2014
Éditions Albin Michel
22, rue Huyghens, 75014 Paris
www.albin-michel.fr
ISBN : 978-2-226-24858-9
N° d'édition : 20746/01. – N° d'impression : 2010673
Dépôt légal : septembre 2014
Imprimé en France